BLOED OP HET

# LEISTRA

# BLOED
# OP HET
# PALET

Uitgeverij De Vliegende Hollander

ISBN 978 90 495 0115 0
NUR 331

www.vaarmee.com

Uitgeverij De Vliegende Hollander is een imprint van
Dutch Media Uitgevers bv

FSC
Mix
Produktgroep uit goed beheerde
bossen, gecontroleerde bronnen
en gerecycled materiaal.

Cert no. SGS-COC-003091
www.fsc.org
© 1996 Forest Stewardship Council

de vliegende hollander
Dit boek is ook leverbaar als e-book:
ISBN 978 90 495 0130 3

# Proloog

De deur wordt op slot gedraaid. Hij hoort het vertrouwde geluid van zijn sleutelbos. De stemmen op de gang sterven weg. Roerloos blijft hij zitten. Ga maar rustig zitten, zei Bennie. Ik kom je zo halen. Als dit is opgelost.

'Bennie!' roept hij. Zijn stem beeft. 'Bennie!'

Doodse stilte. Opgelost?

Wat zei Bennie? Ik kom je zo halen? Niks is opgelost. Nee, niks aan de hand. Maar toch... die ene, die kent hij. Oude vriend van Bennie. Boksvriend. Uit de box. Zo lang al? Nee. Uit de ring. Waarom hielp hij niet toen die mof...

Niks aan de hand.

Maar die bokser dan? Die sloeg Bennie een boksneus. Bloedneus!

'Bennie!'

Zijn hand ligt op een donker vel papier, naast zijn kist met pastelkrijt. Waarom hielp hij niet...

Zijn zoon!

Die ene, dat was toch... Hoe heet hij? Bennie moest hem niet meer.

Hij slaat tegen zijn hoofd. Alles ontglipt hem. Mistflarden dringen door de ramen heen tot onder zijn schedeldak.

Er heeft hier iemand in z'n broek geplast. Hij ruikt het door de mist heen. Hij moet huilen en lachen tegelijk.

Bennie komt me zo halen. Rustig blijven zitten.

Tot de mist is opgelost.

# 1

Vlak voor het verstrijken van de deadline is het volle bak op de redactie van het *Zwolsch Dagblad*. Voor de derde keer die avond staat Hidde Dantuma als een robot zijn code in te voeren: 1-6-2; koffie met melk.

'Zo, ouwe boevenvanger!' roept een collega van de kunstredactie, waar Hidde ooit zijn loopbaan is begonnen. 'Heb je nog nieuws?'

'Even niet,' zegt Hidde. Hij sloft met een bekertje koffie naar zijn bureau. 'Ik zit al de hele avond op één kutfoto te wachten van het nieuwste meesterwerk van Bennie van der Kolk, maar die klootzak is niet te bereiken.'

'Dat lijkt me geen nieuws, nee,' beaamt de collega.

De redactie van het *Zwolsch Dagblad*, oud en eerbiedwaardig als de krant inmiddels mag zijn, zetelt in zo'n modieus spiegelpaleis bij de A28. Ontwerp: firma Kraak noch Smaak. Zouden die architecten niks beters weten te verzinnen, denkt Hidde. Alsof ze onder tafel betaald worden door de glasleverancier.

De locatie is hem een doorn in het oog. Een krant hoort in de binnenstad, met om elke hoek een kroeg waar de gehaktballen in het vet drijven. Niet ergens achteraf, op zo'n lullig industrieterrein, tussen allerlei andere odes aan het kapitalisme.

Hidde huivert en probeert uit het raam te kijken. Ergens achter zijn spiegelbeeld – een sportieve veertiger met geblondeerd haar, al valt die kleur in dat glas nauwelijks op – verrijst het nieuwe stadion van de plaatselijke FC. Dat geeft straks misschien wat leven in de brouwerij. De omgeving heeft nu meer van een begraafplaats. De kantoren zijn de grafzerken.

Overdag zijn de contouren van het stadion in aanbouw van hieraf goed te zien. Betonwagens rijden af en aan, en zo nu en dan komt er een koppelbaas kijken in zo'n pooierbak. Daar wordt heel wat gemeentegeld in gepompt, in dat nieuwe stadion. Maar het is niet alleen braaf burgermansgeld wat erin zit, daar zijn ze het op de redactie wel over eens. Maar ja. Ze zijn geen onderzoeksjournalisten, hè? De waan van de dag, daar mogen ze het mee doen.

Hidde heeft zijn stukje over Hannes Haak, Van der Kolks model van de week, net klaar. En hij heeft inderdaad maar niet al te grondig in diens verleden gespit. Hij weet trouwens al genoeg. Haak is een rasechte kamper die het desondanks ver heeft geschopt in 'de burgermaatschappij'. Zijn wiegje stond in het woonwagenkamp hier vlakbij, aan een van die in snel tempo verdwijnende rafelrandjes van de stad, maar nu troont meneer in zo'n barokke stadsvilla aan de Burgemeester van Rooijensingel. Van scharrelaar tot miljonair.

Officieel staat Haak te boek als succesvol vastgoedondernemer, maar er gaan al jaren geruchten dat hij drugscriminelen van hun zwarte geld af helpt. Tegen betaling, uiteraard. Daar zou ik met liefde eens in duiken, denkt Hidde. Maar zo'n serie over de vedettengalerij die Bennie van der Kolk voor het nieuwe stadion aan het schilderen is – zijn 'cadeau' voor de FC: de slimmerik! – leent zich al helemaal niet voor een fraai staaltje onderzoeksjournalistiek. Daarmee moet je niet boven het maaiveld uit willen steken, dan schoffelen ze je d'r gelijk onder.

Maar waar blijft die foto?! Net als Hidde opnieuw koffie wil halen, belt de fotograaf. Hij kan Bennie nog steeds nergens vinden, en zijn vrouw schijnt ook niet te weten waar hij uithangt. Niks voor Bennie, zegt de fotograaf. Hij heeft al weer opgehangen voor Hidde hem ook maar iets kan vragen. Aan het geraas te horen zat hij in de auto, plankgas op weg naar het zoveelste diamanten echtpaar.

Hidde twijfelt of hij Yvonne, de vrouw van Bennie, nou moet bellen. Yvonne is een oude studievriendin van hem. In het begin van hun studietijd hebben ze zelfs ooit nog een wilde nacht gehad samen. Tenminste, dat heeft hij begrepen. Zeker weten doet hij het niet. Hij was zo zat als een aap! Achteraf herinnerde hij zich alleen wat vage beelden van een slipje met een luipaardprint. Van enige seksuele handeling kon hij zich niks herinneren. Van Yvonne, die ook niet bepaald nuchter was geweest, maar kennelijk niet zo dronken als hij, had hij begrepen dat ze 'het' gedaan hadden. Ze hadden tenminste een poging in die richting ondernomen. Hij had maar verzwegen dat 'het' dan meteen zijn eerste keer was geweest, maar sindsdien had Yvonne een speciaal plekje in zijn hart. Hij had het dan ook helemaal niet erg gevonden toen ze na hun studie allebei in Zwolle terechtkwamen: hij als kunstredacteur bij het *Zwolsch Dagblad*, zij als lerares Nederlands op een scholengemeenschap. Ze waren altijd bevriend gebleven, en dat Hidde degene was geweest die Yvonne en Bennie aan elkaar had voorgesteld, of in elk geval dat ze elkaar via hem ontmoet hadden, mocht je eigenlijk best ironisch noemen.

Dat was op het grote jubileumfeest van de krant geweest, inmiddels al weer een jaar of wat geleden. Hidde had Bennie in het kader van dat jubileum nog aan een fraaie opdracht geholpen. Naar een terloops idee van Hidde maakte Bennie een serie tekeningen en schilderijen, gemaakt op de losse pagina's van één krant uit dat jubileumjaar. Het resultaat hing nog her en der op de redactie en in de hal. Er zaten prachtige werken bij. Bennie had datzelfde jaar ophef veroorzaakt met een serie zeefdrukken die overal in de stad waren opgedoken: enorme prenten van kinderen, vaak kleuters nog, in van dat Zeeman-achtige ondergoed, en ook duidelijk in de bijbehorende beeldtaal. Alleen zijn prenten hadden, anders dan de gemiddelde reclamefolder, iets unheimisch, en dat had op de een of andere manier nogal wat stennis gegeven, tot hysterische beschuldigingen van pedofilie aan toe. Hidde had Bennie nog geïnterviewd naar aanleiding van die zeefdrukken, en meteen ook over zijn opdracht voor de krant – ook weer een serie. Hij zag de kop nog voor zich: 'Als ik ooit vermoord word, is de dader vast een seriemoordenaar.' Hidde had Yvonne meegenomen naar het grote feest van de krant in de

Buitensociëteit. Toen hij met benevelde kop naar haar op zoek was, had hij haar zoenend met Bennie aangetroffen. Daarna had hij Yvonne uit zijn hoofd gezet en niet veel later een relatie met Inge gekregen.

# 2

'Nou, verloren zoon! Waar blijf je?'

Yvonne Tromp staat voor een kopie van *De terugkeer van de verloren zoon*, een tekening van Rembrandt. Het is een prachtexemplaar, met precies de goede kleur inkt gemaakt op zeldzaam, zeventiende-eeuws papier. Na alles wat Bennie haar over het origineel verteld heeft, met veel liefde voor de details ('Moet je die enkels zien, dat zijn niet de behaagzieke krullen van een krullentrekker, dat zijn lijnen met een eigen persoonlijkheid, dat zijn kunstwerken op zich!'), is ze de tekening steeds mooier gaan vinden. Bennie heeft 'de verloren zoon' voor zijn vader getekend toen hij, samen met Yvonne, bij hem introk in het monumentale pand aan de Grote Markt in Zwolle waar hij zelf was opgegroeid. Yvonne kende Bennie toen nog niet eens zo lang, maar het was een logische stap om te gaan samenwonen: ze was zwanger. En Joop, de vader van Bennie, had hulp nodig; hij bleek alzheimer te hebben.

Yvonne heeft inmiddels wel begrepen dat Bennies verhouding met zijn vader altijd al moeizaam was. Hun karakters botsen nogal eens en Bennie heeft geen goed woord over voor het werk van zijn vader, die zichzelf met enige trots 'een vakman in de kunst' noemt. Nou ja, geen goed woord is veel gezegd, voor dat vakmanschap heeft Bennie nog wel enige waardering, maar hij kan niet vaak genoeg uitleggen dat vakmanschap niet per definitie kunst oplevert.

De verhouding tussen vader en zoon is na die rampzalige alzheimerdiagnose echter alleen maar beter geworden. Er kwam een kant van Bennie naar boven waar hij zelf nooit het bestaan van had vermoed. Alsof ergens in hem het besef huisde dat dit de laatste levensfase van zijn vader was, en dat als hij hem nu niet zijn liefde bewees, als hij zich nu niet over hem ontfermde, hij nooit meer zo'n kans zou krijgen.

'Hij heeft me nodig,' heeft Bennie een keer tegen Yvonne gezegd, en die woorden heeft ze altijd onthouden.

Ze loopt naar een van de ramen met uitzicht op de Markt, de Grote Kerk en de Peperbus. Ja, uiteraard had je geruchten dat Van der Kolk, die immers altijd op zoek is naar geldschieters en naar mensen die hem op de een of andere manier kunnen steunen in zijn kunstenaarschap, bij zijn vader zou zijn ingetrokken om de erfenis. Dat huis alleen al! Het is echter een huurhuis, geen eigendom. De erfenis van Joop van der Kolk zal vermoedelijk weinig voorstellen – en op al die tekeningen en schilderijen van zijn vader zit Bennie niet te wachten.

Yvonne is ongeduldig. Ze heeft een leuk nieuwtje voor haar man. Ze kijkt naar haar silhouet in het raam. Haar krullen hangen tot op haar schouders. Ze heeft net weer een coupe soleil laten aanbrengen, een mooie blonde tint waar haar spiegelbeeld weinig van laat zien. Buiten wordt de lucht boven de huizen en de kerk al aardig donker. Zo te zien is het ook een beetje mistig.

Bennie en zijn vader, die allebei een atelier hebben in het gebouw van kunstenaarsvereniging het Palet, komen meestal aanlopen vanaf de Vismarkt. Fietsen met Joop is niet meer verantwoord. Met haar wang tegen het glas gedrukt kijkt ze schuin naar beneden, maar ze ziet ze nog niet.

'Kom op, Bennie.'

Yvonne heeft net van haar uitgever gehoord dat de vertaalrechten van haar eerste boek aan Duitsland zijn verkocht. Voor een indrukwekkend bedrag.

Bennie is een ambitieuze kunstenaar, maar hij misgunt zijn vrouw haar succes allerminst. Dat is nou juist zo leuk aan hem, dat hij, toch zo'n twintig jaar ouder dan Yvonne, kinderlijk enthousiast kan zijn over háár prestaties.

Haar eerste boek heeft het in Nederland trouwens ook aardig gedaan. Haar tweede boek is bijna aan een tweede druk toe, en haar derde boek staat alweer in de steigers. Nog even en het dak zit erop, dan kunnen ze aan het pannenbier. Maar nu eerst champagne... Ze heeft een fles in de koelkast gezet.

In een opwelling pakt ze haar mobieltje. Ze belt Bennie zelden als hij op zijn atelier is, maar het wordt nu toch echt tijd. Bovendien, Joop mag onderhand ook weleens naar huis.

Het toestel gaat over. 'Toe nou.' Na een stuk of twaalf keer houdt hij op.

Ze probeert het nog een keer. Weer gaat de telefoon aan de andere kant een paar keer over.

'Hallo?' hoort ze opeens.

'Hè? Met wie spreek ik?'

'O, hallo. Met Yvonne? Je spreekt met Arjen Bannink.'

'Arjen?' Dat is de huismeester van het Palet. 'Is Bennie daar niet?'

'Niet hier, nee. Ik steek net mijn hoofd om de deur en ik hoorde zijn telefoon nogal dringend overgaan. Sorry dat ik hem zomaar opnam,' voegt hij er enigszins schuldbewust aan toe. 'Dat hoort niet bij de mobiele etiquette, geloof ik. Maar eh, misschien zit hij bij Joop?'

'Dat zou kunnen. Zou je even willen vragen of hij me terugbelt?'

'Als ik hem zie, zal ik het zeggen.'


Yvonne legt haar mobieltje naast haar laptop. Ze kijkt op de klok. Elf uur elf. Het gekkenminuutje, zoals Bennie en zij dat noemen. Ze loopt even naar boven om bij Max te gaan kijken. Voorzichtig doet ze de deur open en kijkt om het hoekje.

Hij slaapt. Vertederend als altijd. Ze streelt even over zijn wangetje, sluipt dan weer naar de deur en trekt hem zacht achter zich dicht.

Beneden, in de kamer op de eerste verdieping, gaat ze weer aan de grote tafel zitten. Ze checkt nog eens haar mail. Hé. Een nieuwsbrief van De Refter.

De Refter is het duurste en beroemdste restaurant van Zwolle en omstreken. Zeg maar gerust: wereldwijde omstreken. Vanavond, tettert de nieuwsbrief, is de eerste aflevering van hun reality-soap op tv. Daar heeft ze nou even geen zin in, zeker nu niet. Bennie en zij hebben vanochtend nota bene nog ruzie gehad over zijn werk voor De Refter. Ze schakelt haar laptop uit en stopt hem alvast in haar rugzak.

Morgen. Morgen is háár dag. Dan blijft Bennie bij Max en kan zij naar haar kamer op de Oude Ambachtsschool. Ze heeft weer allerlei ideeën en invallen die ze nodig in de eerste versie van haar nieuwe boek moet verwerken.

Ze zet haar rugzak en haar andere tas klaar in de gang en loopt naar de keuken. Bennie, jongen, waar blijf je nou? Of zal ik eerst gewoon een wijntje nemen? Nee, nog even wachten, houdt ze zichzelf voor. Ik wil champagne!

Yvonne kijkt weer op de klok. De enorme wijzerplaat is ooit door Joop beschilderd, in wat wel een van zijn meest experimentele buien moet zijn geweest. De wijzers draaien hun rondjes in een baaierd van vormen en kleuren waardoor de klok niet op elk tijdstip even goed leesbaar is. Om halftwaalf ga ik bellen, zegt ze bij zichzelf.

Vijf minuten later heeft ze het nog drie keer geprobeerd. Ze is de wanhoop nabij als ze de telefoon op de gang hoort rinkelen. Ze schrikt zich rot. Wat een kabaal! Als Max maar niet wakker wordt. Ze holt naar de gang. Die telefoon gebruiken ze nooit.

'Ja, hallo?'

'Ja, met Arjen Bannink nog even.'

'O. Ja.'

'Ik kan Bennie nergens vinden. De deur van zijn atelier staat gewoon open, de lichten branden, en hij is zo te zien nog aan het werk, maar waar hij uithangt?'

'Is hij niet bij Joop?'

'Nee. Daar heb ik al gekeken. Joop zat op zijn atelier, maar de deur was van buiten op slot gedraaid, met zijn eigen sleutel.'

'Hè? Hoe kan dat?'

'Ja, dat moet iemand anders dus gedaan hebben. Joop was in slaap gevallen, hij had het niet eens in de gaten, geloof ik.'

'En Bennie dan?'

'Weet ik niet. Ik ben het hele gebouw door geweest, maar ik ben hem nog niet tegengekomen.'

Yvonne voelt haar knieën knikken. 'Maar...' zegt ze. 'Hij moet daar zijn.'

'Tja.' Het is even stil. 'Nou ja. Hij zal wel ergens uithangen. Ik heb trouwens wel een auto zien wegrijden, toen ik hier aankwam. Misschien was dat wel een van die lui die Bennie moet portretteren voor zijn eregalerij, is Bennie even met hem meegegaan of zoiets.'

Arjen besluit maar even niet te vertellen wat Joop zei toen hij net bij hem op zijn atelier was. Bennie heeft gevochten, zei Joop. Maar hij heeft het keurig weer opgeruimd, hoor, voegde hij eraan toe. Ja, echt keurig.

'O. Ja. Dat zou natuurlijk kunnen,' zegt Yvonne manmoedig. Ze weet even niet met wie Bennie momenteel bezig is. Hij heeft het vast wel gezegd toen hij de deur uitging, maar het is al zijn zoveelste portret, ze houdt het niet meer bij.

'Zeg,' oppert Arjen, 'zal ik Joop anders even thuisbrengen? Dan leg ik wel een briefje voor Bennie neer.'

'Zou je dat willen doen?'

Als Yvonne heeft opgehangen loopt ze weer naar de woonkamer en gaat voor het raam staan. Over de markt lopen af en toe mensen, maar de vertrouwde gestalte van Bennie met zijn sluike, vuilgrijze manen op indianenlengte is er niet bij.

Ze draait zich weer om naar zijn tekening. 'Kom op, verloren zoon. Waar blijf je? Ik heb champagne.'

# 3

Iets na middernacht rijdt Bannink door de mist naar huis. Hij heeft Joop thuis afgeleverd en even een praatje gemaakt met Yvonne. Ze deden allebei maar net of ze niet roken dat Joop het in zijn broek had gedaan, maar hij had wel eerst een paar oude lappen in zijn auto gelegd voor hij hem bij het Palet liet instappen. Het is wel triest... Dat heb ik nog niet eerder gemerkt, bedenkt hij. Incontinentie. Is ook een stukje decorumverlies.

Verrek, bedenkt hij, ik moet zo toch nog even langs de Rhijnvis Feithlaan. De deur van Bennie staat nog open. Waarschijnlijk branden zijn lichten zelfs nog... Ook een mooie boel. Is hij net wezen inspecteren of alle atelierhouders wel braaf hun lichten en verwarming uit hebben, laat hij zelf de boel branden. Nou ja, niet zelf. Bennie. Maar bij ontstentenis van Bennie moet hij de boel toch maar even voor hem afsluiten. Bennie heeft zijn sleutels in elk geval bij zich, die komt er wel weer in. En anders heeft hij pech gehad.

Hij rijdt de parkeerplaats op. Hun onderkomen in de oude barakken naast de kunstacademie is van buiten niet wat je noemt een blikvanger. Het idee van het bestuur om daar iets aan te doen, om het van buiten ook wat aantrekkelijker te maken, wat 'artistieker' – een woord waar je in Paletkringen trouwens enorm mee moet uitkijken –, heeft tot nog toe geen weerklank gevonden.

Hij gaat naar binnen, schakelt het alarm weer uit en opent de binnendeur. Op de gang knipt hij het licht aan. Het gebouw is uitgestorven, maar Bennies deur staat inderdaad nog open en het licht is nog aan.

Het atelier van Bennie is een van de grootste van het Palet. Dat mag ook wel, want hij werkt vaak op reusachtige doeken. Arjen loopt naar de ezel waarachter Bennie tegenwoordig zijn meeste uren maakt. Er staat een groot doek op met een portret van een hem onbekende grootheid. Zo te zien geen voetballer, of worden die ook weleens anders dan in voetbaltenue geportretteerd? Hij weet het eigenlijk niet, hij volgt het allemaal niet zo. Hij vindt het andere werk van Van der Kolk interessanter. Dit is geen kunst, zoals Bennie zelf altijd als eerste roept. Geen kunst, wel vakwerk.

Arjen draait de verwarming dicht en op dat moment valt zijn oog op het palet naast de ezel. Hé, Bennie is zeker uitgeschoten met zijn tube. Zorgvuldig gemengde tinten zijn min of meer netjes op het palet gerangschikt, maar daaroverheen, als een dripping van Pollock over een Mondriaan, lopen slierten rood, een netwerk van rode strepen die de dikke klodders verf met elkaar verbinden.

Hij kijkt nog eens naar de geportretteerde figuur. Bennie onwaardig, eigenlijk, die hele eregalerij. Maar goed. Bennie scoort er weer lekker mee in de publiciteit. 'Ik ben ook een beetje een mediakunstenaar,' riep Bennie een tijdje geleden nog, al had Arjen niet helemaal begrepen wat hij daarmee bedoelde. Wat hij wel begrijpt, is dat Bennie een reputatie heeft hoog te houden. Hij is nou eenmaal de bekendste kunstenaar van Zwolle, en dat wil hij graag zo houden. Ja, de bekendste misschien, zoals sommige Paletleden geregeld menen te moeten opmerken, maar dat is wat anders dan de beste. *Jalousie de métier.*

Arjen knipt het licht uit en draait de deur van Bennies atelier achter zich op slot.

# 4

Voor Max is de Grote Markt een schouwspel dat begint zodra hij zijn neus tegen het raam drukt. Hij wijst en benoemt wat hij ziet.

Yvonne zit achter hem aan tafel. Ze is ongerust, maar haar ongerustheid is gelardeerd met ergernis. Maandag is de dag dat Bennie altijd oppast – of thuis is: het woord 'oppast' vindt Yvonne niet gepast voor een vader. Een oppas past op, een vader is gewoon thuis bij zijn kind. Als hij thuis is. Nu niet dus. Bennie laat het doodleuk afweten.

En Joop is verdomd lastig. Die scharrelt als een tijdbom door het huis. Joop moet nodig weer naar zijn atelier. Nog even, denkt ze grimmig, en ik lever hem hoogstpersoonlijk bij het verpleeghuis af. Wachtlijst of niet. Hij was al nooit de makkelijkste, maar nu vraagt hij werkelijk non-stop om aandacht. Helemaal gek wordt ze ervan! Als ze dit van tevoren had geweten... Aan één kind heeft ze haar handen al meer dan vol.

Bennie, waar blijf je! Hij zal toch niet met die Francisca van De Refter aan het rotzooien zijn? Zo'n leuke vrouw! Zo spontaan! En dat Rubenslijf! Als hij eenmaal over Francisca begint, kan Bennie soms helemaal lyrisch worden.

Francisca is de wulpse vrouw en sommelier van Jacques alias Sjakie van De Refter. Bennie kent Sjakie via via – Sjakie kookt weleens op feestjes waar Bennie ook komt. Het is een aardige jongen, hoor, ze kent hem ook een beetje, maar met die vetkuif en die snoeiharde blik oogt hij toch meer als een doorgesnoven popster. En nou is Bennie, naast zijn werk aan de eregalerij voor de FC, dat hem sowieso minstens een dag per schilderij kost, ook nog eens met Sjakie en Francisca in zee gegaan voor de inrichting van hun nieuwe hotel, het Rasphuis. In elke kamer moet een schilderij of ander kunstwerk komen. En daarvoor heeft hij aan één dag in de week niet genoeg.

Rasphuis. Ze hadden het net zo goed de Talk of the Town kunnen noemen. Een oude gevangenis die door Sjakie en Francisca voor veel geld tot hotel werd verbouwd. Was het niet zeven miljoen, of iets in die orde van grootte? Vijf sterren moesten het worden. Met als het kon nog een Michelinster voor het restaurant erbij. Alsof drie sterren voor De Refter nog niet genoeg is.

Het gaat Sjakie en Francisca wel heel erg voor de wind. Kijk maar naar die soap die ze tegenwoordig kennelijk op tv hebben. Kosten noch moeite worden gespaard, de voormalige gevangenis wordt langzaam maar zeker omgetoverd tot een stijlvol hotel – met behoud van authentieke details, zoals de gietijzeren celdeuren, het traliewerk en de luchtplaats. De gewone man kan er straks een vorkje komen prikken in een goedkope versie van De Refter. En dan beginnen ze er ook nog een kook- en wijnschool.

Op de open dag, heeft Yvonne uit de krant begrepen, zal het personeel rondlopen in gestreepte boevenpakken. Daar zullen de kranten en de tv wel weer van smullen. Wat dat betreft hebben Sjakie en Bennie wel iets van elkaar – die hartstocht voor hun werk, of 'passie', zoals dat tegenwoordig heet, maar ook die haarfijne neus voor publiciteit. En net als Bennie gaan Sjakie en Francisca bij hun concurrenten geregeld over de tong met hun Rasphuis. Dat kan geen mens in Zwolle ontgaan. Een opgepimpte bajes, dat is het! Precies waar een toch niet onaanzienlijk deel van hun clientèle thuishoort: al die louche vastgoedjongens, drugsdealers en andere patsers! Nee, aan zwart geld geen gebrek. En dan heeft de gemeente er ook nog eens een flink bedrag ingepompt: dat was ze niet in dank afgenomen. Wat dat betreft heeft het Rasphuis verdacht veel weg van het nieuwe stadion. Maar over het belastinggeld dat de gemeente dáár in heeft gestoken, hoor je die schreeuwlelijken een stuk minder...

'Waar is papa?' vraagt Max voor de zoveelste keer, nog steeds met zijn neus tegen het raam gedrukt.

'Nou ben ik het zat!' Ze geeft Max een ruk aan zijn armpje,

waarop hij onbedaarlijk begint te huilen. Yvonne heeft meteen spijt. 'Ik kan papa even niet bereiken, oké?' zegt ze dan.

'Waar... is... papa... dan?' komt er met horten en stoten uit.

'Papa is in eh... je weet wel, in Frankrijk, waar papa weleens schilderles geeft. Maar hij heeft geen bereik daar, denk ik. We kunnen even niet bellen. We proberen het later weer, oké? Even wachten.'

Ze hoort het zichzelf zeggen. Ze weet niet op wie ze kwader is, op Bennie of op zichzelf. Had ik nou maar niet de hele tijd gezegd dat papa vandaag bij hem zou zijn. Papa is er niet, dus moet ik mijn verantwoordelijkheid nemen. Heel simpel. Maar ze heeft wel gigantisch de smoor in. Vandaag is Bennie zijn dag! Ze wil aan het werk.

'Hè, kom maar, Maxie.' Ze trekt Max tegen zich aan. 'Hè, jochie toch. Het spijt me hoor, schat. Maar ik ben een klein beetje boos op papa. Papa had er allang moeten zijn.'

Dit heeft ze voor zover ze zich kan herinneren nog nooit meegemaakt. Op de dagen dat zij naar haar studio gaat, is Bennie altijd gewoon thuis. Punt uit. Maar nu niet dus.

Opeens schiet haar te binnen dat ze nog een dvd van *Sponge Bob* moet hebben. Ze heeft hem laatst nog zien liggen, in de grote timmermanskist die als salontafel dienstdoet. Die had ze een keer gekregen en meteen opgeborgen. Ze wilde niet dat Max de hele tijd naar die flauwekul ging zitten kijken. Maar nu zou die dvd weleens goed van pas kunnen komen.

'Maxie?'

'Ja?' Het klinkt heel dramatisch, alsof hij nog niet alle hoop heeft laten varen, maar tegelijkertijd niet inziet hoe zijn moeder het ooit weer goed zou kunnen maken.

'Wil je een dvd van *Sponge Bob* kijken?'

Max kijkt haar aan. Zijn ogen zijn nat van de tranen. '*Sponge Bob?*'

'Ja.'

'Die hebben we niet.' Het klinkt verwijtend.

'Ja hoor, die hebben we wel.'

Max kijkt sprakeloos toe. Yvonne staat op, ontruimt de tafel, doet de klep open, zoekt even en haalt er dan een dvd-doosje uit. 'Kijk maar.' Terwijl Max met zijn snotneus het doosje bekijkt alsof hij in een winkel staat en overweegt hem te kopen, zet zij de tv aan.

Ze drukt op het knopje. 'Play movie,' zegt ze erbij, alsof het zonder toverspreuk niet gaat.

Max heeft al een kussen van de bank gepakt alsof hij dit dagelijks doet – hij kijkt gelukkig heel weinig tv – en gaat languit op de grond liggen kijken.

Alsof Joop aanvoelde dat zijn zoon het gruwelijk liet afweten, bood hij een halfuurtje geleden opeens aan om even met 'de kleine' op stap te gaan. 'De kleine.' Joop vermijdt het al een hele tijd om 'de kleine' bij naam te noemen – een veeg teken. Maar goed, Joop met Max op stap, dat doet ze niet meer. Joop lijkt wel door te hebben dat Bennie er niet is, maar toen ze hem net vroeg waar Bennie gebleven was, begon hij te foeteren. Net als gisteravond, toen Arjen hem thuisbracht. Joop had alleen maar wat staan tieren en was toen naar zijn kamer gegaan.

Enfin, informatie over Bennie hoeft ze van Joop kennelijk niet te verwachten. Misschien heeft Bennie wel niks tegen hem gezegd. Dat kan ook. Maar als hij iets gezegd heeft, dan is Joop het vergeten.

De laatste keer dat Joop alleen met Max naar buiten is geweest, zijn ze nota bene door een haar totaal onbekende man en vrouw weer thuis afgeleverd. Yvonne had zich doodongerust gemaakt en stond zich op te vreten voor het raam toen ze Max en Joop opeens in het vizier kreeg, met een man en een vrouw die ze niet kende.

Yvonne was naar beneden gehold en had ze in de deuropening staan opwachten. De vrouw vertelde dat Joop hun in het park had gevraagd of zij hem soms naar huis konden brengen, want hij wist niet meer waar hij woonde.

Aan de deur had Joop smalend gelachen. Hij niet meer weten waar hij woonde? Bespottelijk! Hij was boos de trap op gelopen. De vrouw had het maar wat vergoelijkt. Ze kende het klappen van de zweep, en daarbij: ze kende Joop. Joop was toch een bekende kunstenaar? Hij zou nu wel gauw naar het verpleeghuis moeten, had de vrouw nog opgemerkt. Haar man vond dat kennelijk niet zo tactvol, want die had haar aangestoten en gezegd: 'Dat weet jij niet!'

Yvonne was met Max de trap op gelopen en had besloten hem nooit meer alleen met Joop de deur uit te laten gaan.

Inmiddels staat Joop dan toch écht op de wachtlijst voor een verpleeghuis, zoals Bennie al een paar keer verzekerd is – maar kennelijk is er in dat verpleeghuis nog steeds geen plek. Bennie moet nodig weer eens bellen. Joop kan wel al naar de zogenaamde dagbehandeling, maar daar heeft meneer geen zin in. Hij vertikt het om in dat busje te stappen. Dat is één keer goed gegaan, hij is één keer meegegaan, en inderdaad aan het eind van die middag weer keurig voor de deur afgeleverd, maar sindsdien verdomt hij het. Waarschijnlijk is het zijn eer te na. Achteraf bleek dat ze hem die eerste dag een doos kleurpotloden hadden voorgezet, omdat hij immers een kunstschilder was, maar waarschijnlijk hadden ze niet de juiste toon getroffen. De tweede keer dat ze hem kwamen halen, hebben ze het busje uiteindelijk, na veel getrek en geduw en een gênante scheldkanonnade voor de deur, maar laten gaan. Joop heeft zijn eigen dagbehandeling, op het Palet. Tenminste, als Bennie er is...

Jammer dat ze uitgerekend met Ben gebrouilleerd zijn. Ben is de tweelingbroer van Joop. Een twee-eiige tweeling weliswaar, maar met een heel hechte band. Joop heeft de laatste tijd toevallig, of, nou ja, misschien niet toevallig, maar Joop heeft de laatste tijd een paar keer met tranen in de ogen zitten vertellen hoe hij als kind altijd met Ben aan de keukentafel zat te tekenen, op rollen behang die eindeloos werden afgerold en helemaal vol getekend met ridders, jonkvrouwen, kastelen, paarden, romantische landschappen en stralende zonnen en manen. Je kon het behang als een film afrollen.

Ben was uiteindelijk geen kunstschilder geworden, zoals Joop, maar had wel degelijk talent, zelfs meer dan één: zo had hij een prachtige stem en had hij liefst zang willen studeren aan het conservatorium, maar aangezien hij de oudste van de twee was, al scheelde het nog zo weinig, had hun vader dat geen goed idee gevonden. Wel was hij altijd actief geweest in het amateurtoneel.

Tot een paar maanden geleden had Yvonne Ben zo kunnen bellen, dan was hij Joop meteen komen halen om met hem naar het Palet te gaan, of om hem gewoon even op sleeptouw te nemen. Even door de omgeving toeren of zoiets. Maar dat zit er niet meer in. Sinds Ben ruzie heeft met Bennie, zet hij hier geen voet meer over de drempel. Stel je voor! Joop en Ben zien elkaar alleen nog op het Palet, waar Ben ook lid van is – al is hij dan een van die Paletleden waar Bennie zijn neus voor ophaalt.

'Wat Ben maakt, zijn regelrechte vervalsingen! En dan ook nog van de meest weerzinwekkende schilderijen. En,' voegde Bennie daar vaak belerend aan toe, 'een vervalsing is wel even wat anders dan een kopie. Het gaat om de intentie van waaruit je iets maakt.'

Dat mocht zo zijn, maar Yvonne plaagde Bennie tot voor kort geregeld door te zeggen dat Ben eigenlijk gewoon een postmoderne kunstenaar was, net als hij. Die jatten toch alles bij elkaar? Maar nu plaagt ze hem niet meer. Niet sinds ze ruzie hebben.

Toen Bennie en Ben bonje kregen, hield Joop de band met zijn broer nog in stand, al was dat soms verdraaid ongemakkelijk. Maar nu Joop steeds meer in zijn eigen schemerwereldje blijft hangen, is hij niet meer in staat contact op te nemen met Ben.

Vreselijke man. Waar die oplichter Bennie en haar allemaal niet voor heeft uitgemaakt... 'Jullie zijn stof voor me, hoor je dat? Stof!' Ze hoort het hem nog zeggen, met zijn hese stem.

Opeens schiet haar iets anders te binnen. Zou Bennie vannacht misschien in het Rasphuis hebben overnacht? Ze staat op en gaat op zoek naar haar tas. Francisca loopt de laatste tijd enorm aan hem te trekken. Alsof Bennie nog niet genoeg te doen heeft. Hij wil onderhand wel eens klaar zijn met die vedettengalerij, maar dat loopt alleen maar vertraging op door dat verrekte Rasphuis. Daar staat haar tas... heel optimistisch in de gang te wachten. Ze haalt haar agenda eruit. Nee. Afgelopen nacht niet. Morgennacht én woensdagnacht. 'Bennie Rasphuis', staat daar genoteerd.

Hm. Heeft hij niks gezegd gister? Ze denkt na. Is er niet iets ver-schoven of zo? Nee. Nee, dan had ze het wel onthouden. Of in elk geval opgeschreven. Het is om razend van te worden. Als ze nou maar enig idéé had waar hij kon uithangen...

Yvonne vloekt binnensmonds.

'Is het mooi?' roept ze naar Max.

Kennelijk. Zijn mondje hangt wagenwijd open.

# 5

In het colofon van het *Zwolsch Dagblad* staat hij vermeld als drs. H. Dantuma. Voor Hidde hoeft dat niet zo, maar de hoofdredacteur kickt nou eenmaal op titels. Titels vindt hij chic.

Van huis uit is Hidde historicus, maar nog tijdens zijn studie in Groningen ging hij al aan de slag als journalist bij het *Nieuwsblad van het Noorden*. Anders dan zijn vader – tot diens vervroegde uittreding leraar Engels in Deventer – voelde Hidde niets voor een loopbaan in het onderwijs. Hij moest er niet aan denken jaar in jaar uit in een kleurloos lokaal waar je nog geen poster mocht ophangen zijn lesje op te lepelen voor pubers die meer in elkaar geïnteresseerd waren dan in geschiedenis. Tot verdriet van zijn vader had Hidde zijn onderwijsbevoegdheid dan ook nooit gehaald. Met opzet, om te voorkomen dat hij ooit in een moment van zwakte toch voor het onderwijs zou kiezen. Hij ziet de leden van het plaatselijke docentenkorps 's morgens en aan het eind van de middag heus wel rijden: van die wel erg vroeg grijze mannen op keurige fietsen met drie versnellingen, het imitatielederen attachékoffertje in zo'n handige houder schuin langs het achterwiel en het lunchtrommeltje onder de snelbinders. En dan wonen ze ook nog in die buitenwijken waarmee Zwolle de afgelopen decennia in rap tempo is uitgebreid... Geef mij Assendorp maar, zegt Hidde altijd. Assendorp is een oude wijk tegen de binnenstad aan, zo'n gemêleerde buurt waar geen zinnige stad zonder kan, in de negentiende eeuw ontstaan toen de Nederlandse Spoorwegen hier nog een grote werkplaats hadden, en de mensen die daar werkten ergens moesten worden ondergebracht. *Once Upon a Time in the East...*

Van zijn oude studievrienden zijn er een paar net als Hidde journalist geworden. Andere hebben onverwachte richtingen gekozen. Het mooiste meisje van zijn jaar – Yvonne kent haar ook wel – heeft het nog niet zo lang geleden tot ambassadeur in Kroatië geschopt. Een ander is eindredacteur van een veelbekeken televisieprogramma over geschiedenis. En een derde – zaterdagcolumnist voor *de Volkskrant* – heeft zich opgewerkt tot de grote ideoloog van de Partij van de Arbeid, de 'Soeslov' van de partij.

Hidde is zijn carrière begonnen als kunstverslaggever. Zes jaar lang heeft hij vooral over literatuur geschreven. In die tijd heeft hij alle bekende Nederlandse schrijvers geïnterviewd, en daarnaast allerlei grote buitenlandse auteurs die ter promotie van een nieuw boek naar Nederland kwamen. Met Roald Dahl is hij nog op ontdekkingsreis afgedaald in de krochten van het Amstel Hotel en met Redmond O'Hanlon – een échte ontdekkingsreiziger – is hij in datzelfde hotel stomdronken geworden. Maar op een gegeven moment had hij het wel gezien: het bleken stuk voor stuk toch vooral vriendelijke mensen te zijn met identieke, vaak zelfs wat saaie levensverhalen. Wat zich in die hoofden ook allemaal mocht afspelen, achter hun schrijftafel maakten ze uiteindelijk verdomd weinig mee.

Na die zes jaar in de kunst heeft Hidde ook nog een uitstapje naar de sportjournalistiek gemaakt. In die tijd heeft hij heel wat bekende voetballers geportretteerd, daarom vond hij dat project van Bennie ook zo leuk. Inmiddels verdient Hidde echter al weer heel wat jaartjes de kost als misdaadjournalist. Zijn specialisme: moord en doodslag.

Nu is Zwolle geen Chicago van de jaren twintig. Het aantal moorden per jaar is op de vingers van één hand te tellen. De moorden die worden gepleegd in het verspreidingsgebied van de krant kan Hidde dan ook makkelijk op de voet volgen. Doorgaans is het lijk nog warm als hij er al met zijn neus boven hangt: de recherche belt hem meteen als er 'iets' gebeurd is – en Hidde heeft meer contacten. Maar zijn blik reikt verder dan Zwolle.

Aan het begin van elk jaar publiceert hij een lijst met alle in Nederland gepleegde moorden van het voorgaande jaar. Een treurigmakend maar nuttig overzicht van een kleine tweehonderd familiemoorden, liquidaties, drugsmoorden, roofovervallen en seksmoorden. Als 'boekhouder van de dood' beschikt Hidde over een unieke databank. Natuurlijk kost het tijd die bij te houden, maar voor zijn werk is het een goudmijn. Als geen ander kan Hidde trends signaleren. Landelijk, maar ook regionaal.

Het oplossen van een moord heeft, zoals het cliché al aangeeft, nog het meest weg van puzzelen. Je begint met allemaal losse stukjes en door goed kijken en geduldig passen worden langzamerhand de contouren zichtbaar van een Alpenlandschap, of de Eiffeltoren. Soms ontbreken de laatste stukjes echter en lukt het niet om het plaatje compleet te krijgen. Op zijn jongenskamer in zijn ouderlijk huis heeft nog jaren een overwegend donkerblauwe puzzel gehangen van de toren van het grote postkantoor in Londen. Maar in de lucht links van de toren detoneerden een paar gebutste stukjes, die hij na veel vergeefs gepuzzel in woede met een hamer 'passend' had geslagen.

Hidde kan zo langzamerhand een kaart van Nederland maken met plaatsen waar de recherche op eenzelfde gewelddadige manier een puzzel heeft 'opgelost': Schiedam, Putten, Zaandam, Enschede.

Die fouten en dwalingen kwamen niet zomaar uit de lucht vallen. De recherche in Nederland stelt weinig meer voor. Vanwege de compensatie voor onregelmatige diensten werken agenten tegenwoordig liever bij de uniformdienst op straat. Dat scheelt algauw een paar honderd euro in de maand.

Gedreven door tijdsdruk en scoringsdrift storten rechercheteams zich niet zelden op een vermeende dader en negeren ze ander, ontlastend bewijs. Soms blijkt pas jaren later dat ze er volledig naast hebben gezeten. Maar goed, Hidde is zelf ook niet vies van een primeur – want dat is toch eenzelfde drang als waar de politie soms mee de mist in gaat. Toch, door schade en schande wijs geworden, probeert hij zichzelf altijd te behoeden voor de gevreesde 'tunnelvisie'.

De moord op zijn ietwat zonderlinge stadsgenoot Jan Popke Karsten is de laatste waar Hidde zich in heeft verdiept. Karsten was met ingeslagen hersens aangetroffen op zijn haveloze woonboot in het Almeloos Kanaal. Het enige spoor dat de daders hadden achtergelaten was een blauwe muts. Anders dan de politie bleef Hidde vermoeden dat de daders te vinden moesten zijn in een kleine kring van bekenden van het slachtoffer. Er werden weliswaar diverse aanhoudingen verricht, maar volgens de recherche zaten de daders er niet tussen. Op de achtergrond speelde een eigenwijze 'profiler' van het Korps Landelijke Politiediensten een dominante rol: op grond van het dossier en zijn 'wetenschappelijke kennis' meende die precies te weten wie de daders moesten zijn...

Toen de familie van het slachtoffer een jaar na de dood van Karsten bij wijze van in memoriam op de pagina met overlijdensberichten een lang gedicht wilde plaatsen, had Hidde hun aangeboden een paginagroot verhaal over de moord te schrijven en daarin hun gedicht te citeren. De recherche zag er geen kwaad in. Tot ieders verbazing had de publicatie van het verhaal tot een doorbraak in het onderzoek geleid. De vriendinnen van de daders verbraken eindelijk hun stilzwijgen en stapten naar de politie. De twee daders bleken al eerder in beeld te zijn geweest, maar voldeden toen niet aan het profiel van de gedragsdeskundige en waren zo tot hun eigen verbazing met rust gelaten.

Leve de wetenschap, denkt Hidde. Talloze malen heeft hij het portret van Karsten bekeken. De man oogde als een landloper uit de jaren twintig van de vorige eeuw.

Het Almeloos Kanaal was, om met Armando te spreken, trouwens een 'schuldig landschap'. Begin maart 1997 was een paar honderd meter verderop, half in het water, het lijkje gevonden van de tienjarige Buddy Coenders. Het jongetje lag half onder een treurwilg en was met zijn sjaaltje gewurgd door de tbs'er Aalt M. en nota bene zijn eigen moeder. Wat een zaak was dat geweest! Aalt had al een drievoudige roofmoord op zijn geweten, zo'n twintig jaar eerder. Na jarenlange detentie en tbs was hij met verlof. Dat zo'n man überhaupt nog een kans had gekregen!

En dan te bedenken dat Bennie op steenworp afstand van de woonboot van Karsten zijn atelier heeft...

Kom op, Bennie! We hebben nog steeds geen foto van Haak.

Hidde besluit Yvonne nog maar eens te bellen.

'Hoi, met Hidde. Heb je al iets van Bennie gehoord?'

'Nee. Nog niks!'

Ze praten nu wat langer. Bennie zit de laatste tijd tegen een burn-out aan, vertelt Yvonne. 'De ziekte van Joop vreet aan hem. En dan dat gedoe met zijn oom. En het lijkt wel alsof hij maar nooit echt aan Max gewend raakt. Hij vindt het geweldig, hoor, daar niet van, en hij is echt wel lief voor hem, maar soms is het hem gewoon te veel. Of vaak, eigenlijk.'

Hidde weet even niet wat hij moet zeggen. Hij onderdrukt de gedachte aan het kindje dat hij zelf verloren is. Als zijn zoontje niet na zeven maanden opeens dood in zijn bedje had gelegen, zou hij nu even oud zijn geweest als Max. 'Nou ja,' zegt hij. 'Als Bennie een burn-out heeft, kan ik me daar iets bij voorstellen. En dan inderdaad die ruzie met zijn oom,' voegt hij er snel aan toe. 'Speelt dat nog steeds dan?'

'Nou en of, alleen hij zegt er nooit iets over. Hij wil er absoluut niet over praten. En Joop begrijpt er niks van, die windt zich alleen maar op als Bennie iets onaardigs over zijn broer zegt. Terwijl daar toch alle reden voor is!'

Hidde kent de affaire rond oom Ben maar al te goed. Minderwaardig gerommel met erfenissen. De oom van Bennie en waarschijnlijk vooral zijn vrouw, Joosje, wierpen zich geregeld op als 'mantelzorgers' van bejaarden – welgesteld en dementerend, wel te verstaan. Met zijn tweeën kregen ze het op een of andere manier altijd weer voor elkaar om vlak voor het overlijden van de betrokkenen in hun testament te worden opgenomen – ten koste van legaten aan goede doelen.

Het Rode Kruis was echter, na voor de zoveelste keer achter het net te hebben gevist, naar de rechter gestapt. Toen de waarheid boven tafel kwam, moest de oom van Bennie voor straf een fors bedrag terugbetalen. Tenminste, als hij niet veroordeeld wilde worden. En nu moet hij dus bloeden. Hidde heeft zelfs begrepen dat ze hun fraaie villa in Hattem moeten verlaten, en aanzienlijk goedkoper moeten gaan wonen.

Hoe dan ook, een neutraal berichtje van Hidde over de getroffen schikking was voor de oom van Bennie destijds reden geweest om rood van woede de redactie op te stormen. Het scheelde niet veel of hij was Hidde aangevlogen. Ongelooflijk, wat was die man tekeergegaan. Hij had kennelijk iets met stof, want weer had hij geroepen: 'Stof ben je voor mij. Stof, hoor je?!'

Zijn collega's maken er soms nóg grapjes over. 'Wat zien ik?' zeggen ze dan, met grote ogen naar Hidde kijkend. 'Stof?!'

'Bennie zit er heel erg mee in zijn maag,' zegt Yvonne. 'Ze komen elkaar natuurlijk voortdurend tegen op het Palet en dan loopt zijn oom hem straal voorbij.'

Hidde laat bewust een stilte vallen.

'En dan is zijn oom ook nog eens een van die Paletleden waar Bennie zijn neus voor ophaalt. Als hedendaags kunstenaar gruwt hij van die negentiende-eeuwse romantische tafereeltjes, hij heeft er geen goed woord voor over. Om over al die zogenaamde kopieën nog maar te zwijgen. Maar wat hij volgens mij vooral heel erg vindt, is dat oom Ben sinds kort ook penningmeester van het Palet is. Straks belazert hij daar de kluit ook nog. Oom Ben zit doodleuk aan te pappen met allerlei oudere leden die goed in de slappe was zitten. En te proberen ze al "mantelzorgend" zo veel mogelijk geld uit de zak te kloppen.'

'Wat denk je? Zou die gezellige oom misschien weten waar Bennie uithangt?'

'Nou, dat lijkt me... Ik weet niet...'

'Moet je de politie niet eens bellen?'

'Tja,' zegt Yvonne. Ze aarzelt. 'Kun jij niet eens gaan zoeken? Jij kent toch zoveel mensen?'

'Ja, nou, ik wil wel wat gaan rondbellen.'

'Als je dat zou willen doen...'

Even later heeft Hidde het stamcafé van Bennie aan de lijn.

'Bennie? Nee, die is hier niet.' Hidde wacht even, er wordt bij een collega geïnformeerd, maar nee, Bennie is daar niet geweest, vandaag niet en gister ook niet. Hidde probeert nog een paar *usual suspects* – de visboer, de sigarenboer, nog een paar café's, hij belt zelfs met De Refter – maar hij krijgt overal nul op het rekest. Bij het Palet wordt niet opgenomen.

De foto van Haak is er nog steeds niet. Gelukkig heeft hij voor dit soort noodgevallen altijd een portretfoto achter de hand, als een soort wisselspeler. Die moet nu maar worden geplaatst. Rinus Israël. Daar heeft hij een foto en een stukje van klaarliggen.

Maar intussen is er nog geen spoor van Bennie. Het begint toch een beetje te kriebelen. Bennie, man, dit is niet normaal. Als ik zo'n vrouw als Yvonne had...

Hidde schudt zijn hoofd.

# 6

Yvonne wordt vermoeider wakker dan ze naar bed is gegaan. Bennie heeft nog altijd niks van zich laten horen. Herhaaldelijk heeft ze wakker gelegen en uitvoerig liggen bedenken waar Bennie allemaal wel niet zou kunnen uithangen. En in wat voor gezelschap. Maar dat leverde uiteindelijk meer rampenscenario's op dan realistische mogelijkheden. Max loopt alweer te drenzen. 'Wanneer komt papa? Wanneer komt papa?' Als ze niet beter wist zou ze zeggen dat hij het deed om haar te treiteren. En Joop lijkt in die anderhalve dag dat Bennie nu weg is bijna zienderogen achteruit te zijn gegaan.

Bennie! Kom nou toch eens thuis, man. Al kunnen ze elkaar nog zo in de haren vliegen, Bennie heeft voor zover mogelijk toch echt contact met Joop – misschien is hij wel de enige. In elk geval sinds Ben zich heeft teruggetrokken.

'Hele groepen gaan te poepen,' wist Joop net nog te melden toen hij even voor het raam had gestaan. Normaal gesproken zou zo'n uitspraak reden tot enige hilariteit zijn geweest – Bennie kan daar ook altijd vreselijk om lachen. Maar nu wordt ze er alleen maar treurig van. En moe. Doodmoe. Wie zei dat ook alweer toen ze zwanger bleek te zijn en ze bij Bennie was ingetrokken? 'Wat moet je met zo'n ouwe vent? Dan word je zelf ook vroeg oud.' Yvonne had dat afgedaan als pertinente onzin. Bennie mocht dan zo'n twintig jaar ouder zijn, een ouwe man was hij beslist niet. Maar goed, deze vermoeidheid heeft niks met Bennie zijn leeftijd te maken.

Max ligt alweer voor de tv. Het verhaal dat Bennie 'geen bereik' heeft, lijkt het bij hem aardig te doen. Hij wil nog steeds de hele

tijd weten wanneer papa terugkomt, maar lijkt er niettemin van
uit te gaan dat er niks aan de hand is. Papa is gewoon in Frankrijk. En de tv doet wonderen. Ze heeft letterlijk geen kind aan
hem. Nu heeft ze alleen Joop nog.

'Hele groepen gaan te poepen.'

Vanmorgen is hij weer eens door een zuster van de thuiszorg
uit bed gehaald. Meestal helpt Yvonne hem, want hun ritme is
iets te onregelmatig voor de thuiszorg. Maar vanmorgen heeft ze
die vrouw binnengelaten en naar zijn kamer laten gaan. Of hij
sliep of niet, kon haar niet schelen. Het voordeel is dat Yvonne
het deze keer niet zelf hoefde te doen. Nadeel is dat Joop wel erg
vroeg door het huis liep te schuifelen. Daar komt hij weer. Hij
mompelt wat en strekt zich met enige moeite languit op de bank
uit, helemaal in zichzelf gekeerd.

Hij heeft zijn ogen dicht. Gaat hij nou weer liggen slapen? Ja,
het heeft er alle schijn van. Nou ja, wel zo rustig. Hij heeft niet
voor niets de 'ziekte van oldtimer', zoals hij het in het begin zelf
nog wel eens snedig noemde.

Haar telefoon gaat. Ze pakt hem snel uit haar tasje. Zou dat...?

'Hallo?'

'Ja, nog even met Hidde. Ik weet het niet, hoor, maar ik breek
mijn hoofd erover, en ik heb zo een-twee-drie geen idee waar
Bennie kan uithangen. Volgens mij moet je echt de politie bellen.
Dit is niet normaal.'

'Nee. Dit ís ook niet normaal. Maar... moet ik dan béllen? Het
klinkt zo dom.' Ze zet een raar stemmetje op. ' "Ja, met mij. Mijn
man is weg. Kunt u zorgen dat hij weer terugkomt?" ' Ze lacht zenuwachtig.

'Yvonne, het ís ook uitzonderlijk. Het is echt het beste als je de
politie er nu bij haalt.'

'Ja, nee, je hebt gelijk. Ik ga nu bellen.'

Ze belt 1-1-2.

Een stem vraagt haar welk bureau ze moet hebben en dan
wordt ze doorverbonden. Even later krijgt Yvonne een vrouwe-
lijke stem te horen die bevestigt dat ze de centrale meldkamer in

Zwolle aan de lijn heeft. 'Waarmee kan ik u van dienst zijn?'

Yvonne is even sprakeloos. Zoals die vrouw dat vraagt, net alsof ze dit zaakje zo even kunnen oplossen. Was dat maar waar. Als verdoofd hoort ze uit de verte weer haar stem. 'Mevrouw? Waarmee kan ik u van dienst zijn?'

'Ja sorry, mijn man is zoek,' zegt Yvonne. 'Al sinds zondag. Ik eh... ik wil graag aangifte doen. We maken ons zorgen. Zo lang wegblijven is niks voor hem. Voor Bennie. Bennie van der Kolk. Hij was gewoon aan het werk op zijn atelier. Dat is bij het Palet, aan de Rhijnvis Feithlaan. Op zondagavond was hij daar nog aan het werk, maar hij was opeens verdwenen, en sindsdien heeft hij niks meer van zich laten horen. Zijn vader, ik bedoel Joop, die was er ook, maar die heeft alzheimer,' – Yvonne gaat onwillekeurig iets zachter praten en kijkt naar de gesloten ogen van Joop, die gelukkig dicht blijven – 'en die weet het ook allemaal niet meer. Wat kan ik nou het beste doen?'

'Ik noteer even uw gegevens en dan zal ik kijken of iemand van de recherche u te woord kan staan. Uw man heet Bennie van der Kolk, wat is uw naam?'

De rustige stem kalmeert, maar het wonderlijke is dat Yvonne bijna begint te huilen als ze haar naam noemt.

'Ik heb voor dit moment genoeg informatie,' zegt de stem. 'Ik verbind u door. Eén momentje.'

Net als Yvonne denkt dat er iets fout is gegaan, hoort ze een tik.

'Goedemiddag, u spreekt met inspecteur Eikenaar van de districtsrecherche. Wij nemen dit gesprek op. Ik begrijp dat uw man sinds een paar dagen vermist is? Het lijkt mij verstandig dat u even op het bureau langskomt. Intussen kan ik een auto naar het Palet sturen. U weet het nieuwe hoofdbureau te vinden?'

# 7

'Ja, met Eikenaar,' klinkt het door de mobilofoon. 'Zo direct komt er een vrouwtje aangifte doen van een mogelijke vermissing, en misschien is het handig als jullie vast even een kijkje gaan nemen op de plek waar de desbetreffende persoon voor het laatst gezien is.'

'Is goed. Waar is dat?'

'Het Palet, Rhijnvis Feithlaan. Die barakken naast het oude ziekenhuis, waar de kunstacademie zit. Het is een kunstenaars-vereniging, ze hebben daar allemaal ateliers.'

'Oké. En om wie gaat het?'

'Bennie van der Kolk. Je weet wel.'

'Bennie van der Kolk?!'

'Dezelfde. Hij is waarschijnlijk voor het laatst gezien in zijn atelier.'

'Wordt Bennie van der Kolk vermist?' klinkt het ongelovig.

'Door zijn vrouw, ja. Ze heeft net gebeld, ze komt zo aangifte doen.'

'Zeker ontvoerd door Henk Timmermans.'

'Henk Timmermans?'

'Ja. Van Feijenoord.'

'Wat dan?'

'Of door die galeriehouder met wie hij laatst die boze brieven uitwisselde in het *Zwolsch Dagblad*. Waar Henk Timmermans zo dik mee is.'

'Hoezo Henk Timmermans?'

'Nou, die wilde zich toch onder geen beding door Van der Kolk laten portretteren? Die heeft enorm lopen zeiken. Ik heb dat alle-maal gevolgd, hoor!'

'Ik merk het. Maar zijn dat in jouw ogen serieuze verdachten –
even aangenomen dat er überhaupt iets te verdenken valt?'

'Nou, serieus. Dat weet ik niet.'

'Je weet in elk geval wie we zoeken, dat scheelt. Gaan jullie er
even langs?'

'We zijn onderweg.'

# 8

Natuurlijk weet ik het hoofdbureau te vinden, denkt Yvonne. Ze is er vaak genoeg geweest. In de grote hal hangt permanent werk van iemand van het Palet, elke maand een ander lid. Bennie heeft er nooit willen hangen, daar voelt hij zich net even te goed voor, maar ze zijn wel een paar keer wezen kijken.

Met een schok bedenkt Yvonne dat Bennie bij hun bezoekjes aan het bureau vaak meer belangstelling leek te hebben voor de posters van vermiste en gezochte personen dan voor het werk van zijn collega's. Straks komt Bennie daar zelf nog te hangen, daar en in alle politiebureaus, rechtbanken en op alle stations in het land. Met zo'n treurige zwart-witfoto.

Op sommige van die foto's staat in schreeuwende cijfers een beloning vermeld. Bennie vindt die posters geweldig, hij heeft zelfs overwogen een serie van zulk soort schilderijen te maken. Als er verdachten van een moord worden gezocht is hij helemaal gefascineerd. Dan leest hij de tekst als een volleerde premiejager.

Yvonne kijkt even hoe de vlag erbij hangt. Joop ligt op de bank te snurken. Wat zijn ze lief, als ze slapen, denkt Yvonne. Lekker laten liggen. 'Ben even weg met Max. Tot straks,' schrijft ze met koeienletters op een A4'tje. Ze legt het pal naast Joop op het bijzettafeltje. Onder zijn bril. Zo kan hij het niet missen als hij wakker wordt. Of althans: bíjna niet.

'Ga je mee, Max?'

Nee, natuurlijk gaat hij niet mee. Hij ligt immers tv te kijken. Yvonne zet het toestel zonder pardon uit, waarop Max meteen een keel opzet.

'Max, Max, we moeten naar het politiebureau.'

'Ik wil niet naar het politiebureau. Ik wil naar papa!'

Yvonne heeft hier geen zin in. Straks wordt Joop nog wakker. Ze tilt Max op en loopt snel met hem naar de gang. Ze kijkt maar niet of Joop wakker wordt van het gekrijs. Met wilde bewegingen trekt ze Max zijn jas aan. Yvonne zucht een paar keer heel diep en draagt hem dan naar beneden. Max huilt nog steeds als ze hem in zijn kinderzitje zet. Hij probeert tegen te stribbelen, maar ze weet zijn benen erin te krijgen. Met een blèrende Max fietst ze langs de gracht. 'Kijk, Max, eendjes,' probeert ze, maar de eendjes kunnen Max gestolen worden. Hij zal pas tot bedaren komen als hij er zelf moe van is. Yvonne negeert alle blikken in haar richting – weer zo'n moeder met een verwend kind, hoort ze de mensen denken. Buiten adem fietst ze naar het station en verder richting fietstunnel. Er staat een frisse wind, maar ze gunt zichzelf niet eens de tijd haar jas dicht te doen.

Het hoofdbureau van politie is niet meer in de binnenstad, maar achter het station – een van die talrijke nieuwbouwwerken die allemaal aanspraak lijken te willen maken op een eigen karakter, op een eigen 'smoel', maar die op een of andere manier toch allemaal op elkaar lijken.

Bij het bureau aangekomen tilt ze Max uit zijn zitje. Hij kijkt zwijgend naar de waterpartij bij de ingang. Zou hij nog weten dat hij daar nog geen jaar geleden een keer in is gevallen en er weer uit werd gevist door een agent, terwijl zij binnen de opening van een expositie bijwoonde? Max was druipnat en met een heel amusant pruillipje naar binnen gedragen.

'Kom, we moeten gauw naar binnen. Even over papa praten.'

'Over papa?'

'Ja.' Pas in de hal schiet haar te binnen dat ze haar fiets niet op slot heeft gezet. Nou ja, wie steelt er nou een fiets met een kinderzitje? Bovendien, overal hangen camera's. Hoewel? Hier uit de hal is bij een eerdere expositie een keer een schilderij gestolen. Nota bene uit het politiebureau! Ongelooflijk – al had Bennie er vreselijk om moeten lachen. Er werd hier nooit iets verkocht, maar er was tenminste nog iets gestolen!

Yvonne loopt naar de balie. Ze kijkt naar Max en heeft nu al spijt dat ze hem heeft meegenomen. 'Ik kom aangifte doen van vermissing,' zegt ze bijna op fluistertoon. Dat hoeft Max niet te horen. Ze is nog niet uitgesproken of vanaf de trap achter haar roept een joviale vijftiger met opgerolde hemdsmouwen: 'Komt u maar verder.' Als ze naar hem toe loopt stelt hij zich voor als Eikenaar.

Met Max op de arm loopt Yvonne achter hem aan. 'Ik moet even een heel saai gesprek met deze meneer voeren. Weet je wat? Ik zal even vragen of ze voor jou iets leuks te doen hebben. Misschien heeft die meneer wel een televisie,' voegt ze er inwendig grommend aan toe.

'Dat treft, mevrouw,' zegt Eikenaar. 'We hebben inderdaad een televisie.' Met een plastic pasje maakt hij een deur open. Daar staan inderdaad een paar televisies. Oudjes, zo te zien, maar er liggen wel video's bij.

'Hou je van *Winnie de Poeh*?' vraagt Eikenaar aan Max. Max knikt.

Eikenaar knipoogt naar Yvonne en zegt: 'Ik ben zo terug. Zal ik ook nog wat koffie of thee meenemen?'

'Koffie, graag.'

Yvonne kijkt met Max naar de film. Eikenaar komt terug met een glaasje ranja en een kan koffie. 'Zullen wij daar gaan zitten?' Hij knikt naar een tafel bij het raam.

Even later doet Yvonne haar verhaal. Maar dat het nou zo'n opluchting is om te praten, kan ze niet zeggen. Integendeel. Terwijl Eikenaar haar antwoorden intikt, wordt ze steeds ongeruster. Die vragen! Of Bennie schulden heeft. Of hij wel vaker een tijdje wegblijft. Of hij misschien een vriendin heeft. Gebruikt hij medicijnen?

Heeft uw man voor zover u weet ook vijanden?! Uw relatie was goed?!

# 9

Bij het hek van het Palet staat Arjen Bannink boven op een trap een tak van een boom te zagen. Hij heeft zich al een tijdje aan die tak lopen ergeren. Vanuit zijn ooghoek ziet hij een auto aan komen rijden. De auto blijft voor het hek even staan en rijdt dan de parkeerplaats op. Hij kijkt. Hé. Politie. Terwijl de auto wordt geparkeerd en de portieren openzwaaien daalt hij zijn trap af. Twee agenten stappen uit. Bannink loopt op hen af. 'Heren.'

'Goedemorgen,' zeggen beide agenten.

'Ook goedemorgen. Wat kan ik voor u betekenen?'

'Wij komen even kijken in verband met een mogelijke vermissing.'

Bannink schrikt. Hij snapt dat het om Bennie gaat, maar had eigenlijk verwacht dat die wel weer was opgedoken.

'U bedoelt... Bennie van der Kolk?'

'Inderdaad,' zegt de agent die zich als woordvoerder lijkt op te werpen. De ander staat Bannink alleen maar op te nemen. 'U weet ervan?'

'Ja, wat zal ik zeggen. Ik begrijp dat het om hem gaat. Ik heb zelf gister-, of nee, eergisteravond ontdekt dat hij weg was.'

'Ah,' zegt de agent. 'En hoe hebt u dat ontdekt?'

Bannink vertelt wat er zondagavond gebeurd is.

De zwijgende agent schrijft het allemaal op. 'Uitstekend,' zegt diens collega. 'Kunnen we ook even naar binnen?'

'Ja, zeker,' zegt Bannink. Gedrieën lopen ze naar de ingang. De deur is open. 'Komt u maar mee,' zegt Bannink. 'Dan laat ik u zijn atelier even zien. Ik heb een sleutel.'

Als hij vragend wordt aangekeken, zegt Bannink: 'Ik ben de huismeester.'

Politie op het Palet! Hoe vaak heeft hij de laatste tijd, met dat gedoe met die verwarmingen, niet lopen roepen dat hij er geen zin in heeft een soort Paletpolitie te worden? En nou loopt hij hier met twee agenten die om zich heen kijken alsof ze sporen zoeken van... waarvan eigenlijk? Opeens schiet die auto hem weer te binnen, die zondagavond met zo'n rotvaart het hek uit was gereden.

'Ik heb zondagavond trouwens nog wel iets gezien wat mij een beetje bevreemd heeft.'

'O ja?'

'Ik bedoel, afgezien van het feit dat Bennie zomaar weg was.'

'Wat dan?'

Ze lopen de gang in waar zich het atelier van Bennie bevindt.

'Nou, toen ik hier zondagavond ging kijken, zag ik een auto met enorme snelheid het hek uit rijden en wegscheuren. Ik kon zo gauw niet zien wie erin zat, het was donker en ook een beetje mistig, maar raar was het wel.'

'U had geen idee wie dat was?'

'Nee. Of tenminste... ik dacht dat is vast weer zo'n patjepeeer van Bennie, die zich hier heeft laten portretteren. U weet wel, voor zijn eregalerij voor het nieuwe stadion. Hij heeft de voetballers allemaal gehad, hij hoeft alleen nog maar een stel sponsors en bestuursleden, en dan is hij klaar.'

'Ah. En wat voor auto was het?'

'Tja. Het was een donkere auto. Donkerblauw? Ik weet het niet. Ik had het idee dat het een BMW was, maar echt zeker weten doe ik het niet. Wel een auto voor een sponsor of bestuurslid. Het kenteken was misschien wel wit, bedenk ik trouwens, maar ik weet het niet zeker.'

De zwijgende agent houdt ijverig de notulen bij. Ook de sprekende agent doet er nu het zwijgen toe, afgezien van een neutraal: 'Hm.'

Bannink pakt zijn sleutelbos en draait de deur van het atelier open. 'Wilt u even rondkijken?'

'Graag.' De agenten stappen naar binnen.

'En, ligt Van der Kolk nog een beetje lekker hier?' vraagt de sprekende agent dan aan Bannink.

'Hoe bedoelt u?'

'Nou ja, het is toch een beetje een controversiële figuur, of niet?'

'Mwah,' zegt Bannink. 'Wat zal ik zeggen? Er zijn inderdaad Paletleden die hem wel kunnen schieten, maar hoe ver dat gaat... Ik weet het niet. Het is eigenlijk meer haat-liefde,' nuanceert hij. 'Hij wordt ook best gewaardeerd hier.'

'Hm.' De agenten staan allebei naar het doek op de ezel te kijken. 'En wie is dat?'

'Al slaat u me dood,' zegt Bannink. Hij kijkt naar het enorme gezicht dat met rake lijnen op het doek is afgebeeld. Ja, wat wil je, dat is waarschijnlijk weer met een beamer gedaan, denkt hij. Zo kan ik het ook. Maar zo duidelijk als de trekken zijn, ze zeggen hem niets. 'Misschien dat zijn vrouw het weet. Of misschien heeft hij het ergens opgeschreven.'

'Tja,' zegt de sprekende agent. 'Nou, wij kijken even rond. Spreken we u zo nog, voor het geval we nog vragen hebben?'

'Ja, hoor,' zegt Bannink. 'Ik ben buiten bezig.'

De agent knikt. Dan valt zijn oog op het mobieltje op de boekenplank. 'Hé. Een telefoon.'

'Ja,' zegt Bannink, die al in de deuropening staat. 'Die moest ik maar laten liggen, zei zijn vrouw.'

'Hij heeft dus niet eens zijn mobiel bij zich.'

'Nee,' zegt Bannink enigszins verwonderd. Dat is wel een heel voor de hand liggende conclusie.

De zwijgende agent lijkt er een aantekening van te maken. Als hij weer opkijkt, valt zijn oog vrijwel meteen op een agenda die opengeslagen op een lager plankje ligt. 'Van der Kolk is halsoverkop vertrokken, zo te zien.' Hij knikt naar de agenda. Zijn collega ziet hem nu ook.

'Misschien staat daar wel in wie die meneer op dat schilderij is,' zegt hij. Hij loopt naar het boekenrekje.

De agenda ligt opengeslagen op vorige week. 'Halfnegen Hannes Haak', staat er bij zondag.

'Hannes Haak,' zegt de agent.

'Hannes Haak?' zegt Bannink, die nog steeds in de deuropening staat. 'Dat is toch die vastgoedfiguur?'

'Nou en of!' roept de agent uit. 'Haak, van Haak Vastgoed bv.
Dat is hem.'

De zwijgende agent maakt weer een notitie. 'Die gaan we zo
maar eens bellen.'

'Lijkt me een puik plan,' beaamt zijn collega.

Bannink haalt zijn schouders op en sjokt de gang in.

De sprekende agent steekt zijn hoofd naar buiten. 'Zeg!'

Bannink draait zich om. 'Ja?'

'Zou u ons straks misschien een lijstje kunnen geven met de
namen en telefoonnummers van mensen die hier zondagavond
geweest zijn?'

'Dat is lastig, want ik was er zelf niet. Althans, niet aan het begin van de avond,' voegt hij eraan toe als de agent hem bevreemd
aankijkt. Hij denkt even na. 'Alleen Joop was er, de vader van Van
der Kolk. Maar ik vrees dat u aan hem weinig zult hebben. Hij
heeft alzheimer en is al een aardig eindje heen.' Dan schiet hem
te binnen dat hij Joop zondagavond op zijn atelier heeft aangetroffen terwijl de deur vanbuiten op slot was gedaan.

Als hij dat heeft overgebriefd, zegt de agent: 'Dat is inderdaad
merkwaardig.'

'En er schiet me nog iets anders te binnen,' zegt Bannink. 'Zijn
vader zei dat Van der Kolk had gevochten.'

'Heeft hij verder nog iets gezegd?'

Bannink hoort het hem nog zeggen, met die fluwelen ouwe-
mannenstem. 'Ja. Hij zei volgens mij zoiets als: "Bennie heeft gevochten. Maar hij heeft het ook weer netjes opgeruimd."'

De agent kijkt het atelier rond. 'Nou, als hij hier gevochten
heeft, heeft hij het inderdaad weer netjes opgeruimd.'

'Ik heb er eigenlijk niet zoveel aandacht aan besteed,' zegt Bannink nu een beetje spijtig. 'Al vraag ik me af of het zin zou hebben
gehad erop door te vragen. Joop is echt al behoorlijk kinds. Ik
heb hem zondagavond thuisgebracht omdat Bennie er niet was,
en hij ging me toch tekeer.'

'Kunnen Van der Kolk en zijn vader een beetje met elkaar over-
weg?'

'Ja hoor,' zegt Bannink, die weer terug is komen lopen en in de deuropening is blijven staan. 'Dat gaat best.'

De agenten kijken nog even rond, maar lijken niks bijzonders te zien.

'Maar er was hier dus verder niemand, zondagavond?'

'Dat kan ik niet zeggen,' zegt Bannink. 'Ik bedoel: dat weet ik niet. Dat zou ik moeten navragen. Er was één iemand die haar naambordje open had staan, dus die is misschien wel geweest. Die kan ik zo in de bestuurskamer wel even bellen, hierachter.'

'Dat is uitstekend. We zijn hier wel klaar.'

De agenten lopen de gang op en Bannink sluit het atelier af.

'Loopt u maar even mee,' zegt hij.

Ze lopen om een hoefijzervormige bar heen. De zwijgzame agent slaat een toon aan op de oude piano die er staat en zegt: 'De vrolijke noot.' Zijn collega kijkt meewarig over zijn schouder.

Aan de andere kant van de bar gaat de gang verder en daar, om de hoek, is de bestuurskamer. De deur staat op een kier. 'Hé,' zegt Bannink. Hij doet de deur open. 'Ben. Druk aan 't werk?'

Over een bureau voor het raam gebogen zit een mannetje, dat zich naar hen omdraait. Zijn schriele voorkomen doet denken aan een boekhouder in een operette en zijn sonore stemgeluid komt dan ook als een volslagen verrassing. 'Ja, het jaaroverzicht. Ik ben er bijna doorheen.'

De kleine man die met Ben is aangesproken kijkt op als achter Bannink opeens een agent opdoemt. 'Wat is dit?' zegt hij. 'Er is toch niet ingebroken?'

'Nee.' Arjen kijkt naar de agent. Hij vindt het makkelijker dat die het uitlegt.

'Wij zijn hier in verband met een aangifte van vermissing.'

'Wat, hier?' vraagt Ben enigszins verbaasd.

'Zoals u ziet,' zegt de agent.

'Wordt er... wordt er iets vermist dan?'

'Niet iets,' zegt de agent, 'iemand. Bennie van der Kolk. Zijn vrouw heeft net aangifte gedaan.'

'O. Aangifte?'

'Ja,' zegt de agent. 'Aangifte. Of hebt u misschien een idee waar hij uit kan hangen?'

'Ik?' Hij krabt op zijn achterhoofd. 'Nee, ik niet, ik zou het niet weten...' Hij schudt met zijn hoofd. 'Ik eh...'

Bannink heeft zich in een andere hoek van de bestuurskamer teruggetrokken, hij heeft de telefoon al in zijn hand.

'Ik ben al enige tijd met Bennie gebrouilleerd,' verklaart Ben dan opeens manhaftig. 'Bennie is de zoon van mijn broer.'

'Ah,' zegt de agent. Hij kijkt naar de man, die rood aanloopt. 'U bedoelt dat u ruzie hebt met Bennie van der Kolk? Als ik vragen mag, waar was u zondagavond?'

'Zondagavond?'

'Ja, zondagavond.'

'Nou... eens kijken... Zondagavond was ik... eh... ja, toen was ik geloof ik bij mevrouw Roberts. Een oude dame die ik help met van alles en nog wat. Ik eh... we hebben koffie gedronken, ik heb haar wat voorgelezen... en ik heb nog een eindje met haar gereden.'

De pratende agent pakt nu voor het eerst ook een boekje en schrijft wat op.

Alsof zijn collega begrijpt dat er iets gedaan wordt wat hij eigenlijk hoort te doen, komt hij binnen. Hij heeft een krantenknipsel in zijn hand.

'Zeg, dit hangt hier op het prikbord, ik weet niet of jij dit gelezen hebt,' zegt hij tegen zijn collega die met Ben staat te praten, 'maar zo niet, dan moet je dat toch even doen. Als je dat leest, begrijp je dat Bennie van der Kolk hier op het Palet niet bij iedereen even geliefd is.' Hij leest een stukje voor. ' "Voor een heleboel Paletleden geldt dat ze kennelijk liever televisiekijken of aan de sherry zitten dan dat ze met hun werk bezig zijn. Dat is trouwens niet zo raar, als je bedenkt dat het hun werk helemaal niet is. Het is risicoloos bezig zijn." Dat soort dingen. Hier: "Gefröbel van huisvrouwen." '

'Ja,' zegt Ben. 'Praatjes genoeg. Maar dat hij zich daar nou geliefd mee maakt, nee.'

'Bij u in elk geval niet,' kan de sprekende agent niet nalaten te zeggen.

'Nee, maar ik ben niet de enige. Daar komt u nog wel achter.'

Bannink komt weer aan lopen met een briefje in zijn hand. 'Dit is mijn mobiele nummer, en dit is het nummer van Sanne Kreeft. Ik kan haar niet te pakken krijgen, maar zij is hier zondagavond ook nog geweest.'

'Ah. Dank u.'

'Als u wilt, kan ik nog wel verder informeren wie hier geweest zijn?'

'Als u dat zou willen doen, heel graag.'

De agenten kijken elkaar aan.

'Zullen we gaan?'

'Ja. Laten we dat doen. Vindt u het goed als ik dit knipsel even meeneem?'

'Ja, hoor,' zegt Bannink. Hij zou niet weten waarom niet.

'Tot ziens,' zegt de sprekende agent met nadruk tegen de oude Van der Kolk.


Op de parkeerplaats wijst een van de agenten naar een donkerblauwe B M W die helemaal in het hoekje achter de fietsenstalling staat.

'Hé. Stond die er net ook al?' zegt zijn collega.

'Weet ik niet. Dat is misschien wel de auto van die oom.'

Ze kijken elkaar aan. Net op dat moment komt Arjen naar buiten.

'Het was toch niet toevallig deze auto die u zondagavond weg hebt zien scheuren?' roept de sprekende agent.

Bannink blijft staan. 'Nou, nee, dat denk ik niet,' zegt hij. Ben zou toch niet zomaar wegscheuren en het hek open laten staan? 'Nee. Dat lijkt me niet.'

'Bedankt,' zegt de agent. Als ze allebei zijn ingestapt, voegt hij er tegen zijn collega aan toe: 'Het lijkt hem niet, maar zeker weten doet-ie het niet.'

# 10

'Laten we maar meteen naar het bureau gaan,' zegt de spreken-de agent terwijl zijn collega de Rhijnvis Feithlaan opdraait. 'Dit zaakje stinkt. Hier zal toch een TGO op gezet moeten worden.'

Hij spreekt de letters bijna uit alsof het om een yell gaat: we hebben een T, we hebben een G, we hebben een O, T G O. Dat staat voor Team Grootschalige Opsporing, de nieuwe naam voor het vertrouwde recherchebijstandsteam. Oude wijn in een nieuwe zak. Voor elke zaak die de districtsrecherche boven de pet gaat, wordt een TGO in het leven geroepen. En een vermissing is bij uitstek zo'n zaak.

'Denk je?' zegt zijn collega sceptisch.

'Ja, natuurlijk.'

'Voor een kunstenaar die niet om zes uur thuis is voor het eten?'

'Voor een kunstenaar die al bijna twee dagen niet thuis is voor het eten. En die kennelijk de nodige vijanden heeft. Nee, jongen, let op mijn woorden: hier zullen ze toch echt een TGO op moeten zetten.'

De agent voelt de spanning bij zijn collega stijgen. Die leest geconcentreerd zijn aantekenboekje door. 'Ik heb vier dingen. Die auto. Hannes Haak. Die oom met zijn alibi. En eventuele pro-blemen bij die club. Bij het Palet. Er moet daar toch iets gebeurd zijn.'

Tien minuten later rijden ze de parkeergarage van het hoofd-bureau in. Ze lopen meteen door naar de districtsrecherche.

Daar laat Eikenaar net zijn bezoek uit: een jonge vrouw met een kind aan de hand. Het kind kijkt neutraal, de vrouw bedrukt.

'Ga maar vast naar binnen', zegt Eikenaar. 'En pak wat koffie. Ik laat mevrouw Van der Kolk even uit.'

Even later komt Eikenaar met een ernstig gezicht terug.

'Zo jongens, ik hoop dat jullie iets wijzer zijn geworden bij die kunstenaars. Die vrouw wordt helemaal gek.'

De sprekende agent schraapt zijn keel en neemt het woord. 'Ik kan me vergissen, maar die Van der Kolk is in elk geval geen ommetje aan het maken. Zijn mobieltje lag nog in zijn atelier en bovendien, hij zou zijn vader nooit zo lang alleen laten.'

'Dat zei zijn vrouw ook al,' onderbreekt Eikenaar hem. 'Maar we zitten hier niet om open deuren in te trappen. Welke aanknopingspunten hebben jullie voor nader onderzoek?'

De agent zwijgt even. Waar zal hij beginnen? Eerst die auto maar. 'De huismeester heeft zondagavond een verdachte auto met grote snelheid bij het Palet zien wegrijden. Vermoedelijk een donkerblauwe BMW. En een oom van Bennie van der Kolk, die ook bij het Palet zit, heeft ruzie met hem, en rijdt toevallig in zo'n auto. Alleen de huismeester dacht dat de betreffende auto misschien wel een Duits kenteken had. Kunnen we de camerabeelden van zondagavond opvragen? Misschien is hij op de A28 gesignaleerd.'

Eikenaar maakt aantekeningen, maar zegt niets.

'Dan lijkt het ons verstandig contact op te nemen met meneer Haak, de vastgoedman. Die had zondagavond om halfnegen een afspraak met Van der Kolk. Van der Kolk is een portret van hem aan het schilderen. Voor zijn eregalerij voor het nieuwe stadion. We kunnen hem straks bellen.'

'De vader van Van der Kolk was op het Palet, maar die heeft alzheimer en slaat volgens de huismeester voornamelijk wartaal uit. Toch maar even een praatje mee maken? Verder zullen we het alibi van zijn oom moeten checken. Die heeft al een tijdje ruzie met Van der Kolk. Ze zijn gebrouilleerd.' Hij spreekt het laatste woord met nadruk uit, alsof hij de man citeert en het zelf een beetje een raar woord vindt.

'Ja, moeilijk woord, hè?' zegt Eikenaar. 'Maar ga gerust verder.'

De agent kijkt Eikenaar even schichtig aan en schraapt opnieuw zijn keel. Dan kijkt hij snel weer in zijn aantekeningen.

'Die oom Ben beweerde dat hij zondagavond met ene mevrouw Roberts op stap was geweest,' vervolgt hij. 'Ik denk dat we beiden moeten horen, en dan hun verhalen maar eens naast elkaar houden. Tot slot is er in elk geval één kunstenaar die mogelijk iets gezien heeft. Hoe heette ze ook al weer? O ja, Kreeft.'

Eikenaar moet even lachen. De sprekende agent ziet zelf zo rood als een kreeft. 'Goed werk, heren,' zegt hij dan. 'Klop het meteen maar even in.'

Als hij de vragende blik van zijn jeugdige collega's ziet, realiseert Eikenaar zich dat hij zo langzamerhand tot de oude stempel behoort. Inkloppen? Die jonkies praten over invoeren in het scherm.

'Als jullie alvast Haak bellen, bel ik het O M. Dan horen we wel van de dienstdoende officier of dit een T G O-zaak is.'

Geraakt door de daadkracht van Eikenaar lopen de twee agenten zijn kamer uit. Waar zullen ze gaan bellen? Normaal gesproken hebben twee straatagenten niets te zoeken bij de districtsrecherche. Dat is bijna een staat in de staat. Die jongens lopen in burger en voelen zich ver verheven boven het gewone blauw. Hoewel ze minder verdienen!

De secretaresse van de afdeling – een dijk van een wijf, met een blonde lok die bij elke beweging over haar voorhoofd valt en dan koket weer tot de orde wordt geroepen – ziet hun twijfel. 'Wat is er, jongens? Zeg het maar!'

Als ze haar hebben uitgelegd dat ze Haak willen spreken, heeft de stevige blondine binnen enkele seconden het telefoonnummer van Haak Vastgoed B V tevoorschijn getoverd.

'Ga maar even aan dat bureau zitten, ik verbind jullie door.'

'Haak Vastgoed B V, goedemiddag.'

'Goedemiddag, u spreekt met de politie. We willen graag uw baas spreken. Zegt u hem maar dat het dringend is.'

'Ik doe mijn best. Hij zit voor zaken in Kroatië, ik zal even zijn mobiel proberen. Moment.'

Het lijkt wel of er een boodschapper te voet op pad naar de Balkan is gestuurd. Net als de agent de verbinding wil verbreken, hoort hij uit de verte een krakende stem.

'Ja, met Haak. Hoeveel heb ik te hard gereden?'

Alsof hij op zijn beurt met zijn stem de hele afstand naar Kroatië moet overbruggen, roept de sprekende agent in de hoorn: 'Weet ik niet, dit gaat over zondagavond jongstleden. Weet u nog waar u rond halfnegen die avond was?'

Haak lijkt even stil te vallen.

'Zondagavond? Ik denk thuis, ik moest maandagochtend in alle vroegte naar Schiphol om mijn vliegtuig naar Zagreb te halen.'

'Denkt u eens goed na.'

Haak neemt de tijd. 'Zondagavond? Ah... Ja. Ik ben ook nog even bij Bennie van der Kolk geweest. U weet wel. Die eigenwijze kunstenaar. Hij maakt een portret van me, ik kom in het nieuwe stadion te hangen, in de eregalerij. Maar ik ben er misschien maar een kwartier geweest, hoor, toen ben ik weer naar huis gegaan. Is er iets? Mijn portret is toch niet door supporters gegijzeld?' Hij moet er zelf hard om lachen.

'Nee, hoor,' zegt de agent. 'Maak u maar niet ongerust over dat portret. Dat is het niet.' Hij weet waar Haak op doelt: de beslissing om ook bestuursleden en zelfs sponsors in de eregalerij op te nemen heeft in supporterskringen tot verhitte reacties geleid. En als de supporters van FC Zwolle eenmaal van de kook raken, is het oppassen geblazen.

'Gelukkig maar,' zegt Haak.

'Is er iemand die kan bevestigen dat u verder die avond thuis bent gebleven?'

'Ja, hoor. Minnie. Mijn nieuwste verovering. Die weet dat nog heel goed.'

'Hm. Nou, we spreken u nog.'

'U weet me te vinden,' zegt Haak.

'Wanneer bent u weer in het land?'

'Eens kijken... zaterdag.'

'Oké. Tot zover bedankt. Goedemiddag,' zegt de agent kordaat, en hij hangt op.

'Zo moet je die gasten van een callcenter nou ook afschepen,' zegt zijn collega goedkeurend. 'Even laten praten, zodat ze denken dat je gekkie Henkie bent, dan snel bedanken, goedemiddag zeggen en ophangen.'

'O ja? Nou, ik weet anders nog zo net niet wie hier werd afgescheept.'

# 11

Hidde Dantuma zit achter zijn bureau op de redactie. Nou ja, redactie, het is eigenlijk meer zo'n karakterloze kantoortuin waar half Nederland zijn dagen van negen tot vijf achter de computer slijt. Nog altijd voelt hij een rilling door zijn lijf trekken als collega's de redactie 'kantoor' noemen. Zelf spreekt hij consequent van 'de krant'. Hij is toch geen kantoorklerk! Zijn bureau is een chaos. Met behulp van uitpuilende boekenkasten en een archiefkast heeft Hidde een eigen hoekje geschapen.

De telefoon gaat. 'Hidde Dantuma.'

'Ja, Hidde, met Yvonne. Ik kom net van het politiebureau. Ik heb aangifte gedaan.'

'O. Maar je hebt nog niks van Bennie gehoord?'

'Nee, dat niet.'

'Hm. Wat zeiden ze bij de politie?'

'Er zijn als het goed is al een paar agenten wezen kijken, maar verder weet ik het ook niet. Ze wilden vooral van alles weten. Of Bennie wel vaker zomaar wegbleef. Of hij ook iets had meegenomen, kleren of zo.' Ze denkt even na. 'Nou ja, zulke dingen.'

'Ze wilden vast ook weten of hij conflicten had of iets van dien aard,' oppert Hidde met kennis van zaken.

'Ja, dat ook.'

'Dan heb je daar zeker wel even gezeten?' Hidde moet lachen, maar heeft er meteen spijt van. 'Sorry, hoor. Maar serieus, wat heb je gezegd?'

'Nou, eens kijken. Het kwam erop neer dat er twee... hoe zal ik het zeggen... verdenkingen waren? Nou ja, we hebben het voornamelijk over het Palet gehad, en wat daar allemaal speelt aan afgunst en jaloezie. En over oom Ben en dat hele gedoe, wat ook een beetje met het Palet te maken heeft, maar ook weer niet.'

'Oké. En verder?'

'Nou, verder niets eigenlijk. Max wilde weer naar huis, en ik dacht, ik kan wel aan de gang blijven.' Zelfs Yvonne moet nu even lachen, al klinkt het nerveus.

'Ik ben bang dat je weinig keus hebt, Yvonne. Dat je nu wel even aan de gang móét blijven. Bennie is weg, daar heeft het tenminste alle schijn van. Je moet er alles aan doen om hem boven water te krijgen.'

Het is stil aan de lijn.

'Yvonne?'

Haar stem klinkt opeens heel klein. 'Ja.'

'Zal ik anders naar je toe komen? Dat praat misschien wat makkelijker.'

'Is goed.' Nog steeds dat kleine stemmetje.

Tien minuten later legt Hidde zijn bedrijfsfiets op de Grote Markt aan de ketting. Hij kijkt even op naar de ramen van het kapitale pand waar Yvonne woont, loopt naar de voornaam gebeeldhouwde voordeur en belt aan. Even later zit hij tegenover Yvonne aan tafel. Hij heeft wel vaker aan die tafel gezeten, maar hij kan zich niet herinneren dat de omstandigheden ooit zo akelig waren. Zelfs niet als het over Joop ging, toch ook geen vrolijk onderwerp.

Hidde meent te zien dat Yvonne gehuild heeft. Hij kijkt haar aan. Als hij zijn hand op die van haar legt, begint ze meteen weer. Ze houdt haar andere hand voor haar ogen en snikt een paar keer. Hidde zegt niks, maar blijft haar vasthouden.

'Sorry, hoor,' zegt Yvonne dan opeens en ze trekt haar hand terug.

'Geeft niet. Het is ook heel akelig,' zegt Hidde. Hij laat een stilte vallen, maar Yvonne dept al dapper haar ogen. 'Het is ook heel akelig,' herhaalt hij, 'maar je moet echt even een aantal dingen op een rijtje zetten. Je bent bij de politie geweest.'

Yvonne knikt. Ze merkt dat Hidde alles doet om mee te denken.

'Zijn je daarna nog dingen te binnen geschoten die je had willen vertellen, of misschien had moeten vertellen?'

Yvonne denkt even na, niet zozeer over de vraag wat ze nog zou moeten vertellen, maar meer over de vraag of ze het überhaupt wel wíl vertellen.

'Het is in het belang van Bennie dat je alles vertelt, hoor,' zegt Hidde.

'Ik heb het niet uitvoerig over Frank gehad,' gooit ze er dan uit.

'Waarom niet?'

'Nou ja. Ik had ze al zoveel verteld.'

'Maar vroegen ze niet door?'

'Jawel.' Yvonne zweeg even. 'Maar ik wou het er eerst met jou over hebben.'

'Wat dan?'

'Nou ja. Stel je voor dat Frank er niks mee te maken heeft, en dat dan achteraf blijkt dat ik met de politie over hem heb zitten praten...'

'Tja... Je had op geheimhouding kunnen aandringen.'

'Is dat zo?' Ze kijkt hem aan. 'Dat kon ik toch niet ruiken?'

'Nee. Dat hadden ze ook wel even mogen zeggen, ja. Nou ja, dat komt misschien nog wel. Maar wij moeten het wél even over Frank hebben.'

Yvonne aarzelt. 'Ja, nou ja. Eigenlijk beschouw ik Frank inmiddels maar gewoon als huisbaas, meer niet... ik weet niet. Frank is wel altijd Bennies beste vriend geweest.'

'Geweest, ja.'

'Ik weet het, ik weet het. Maar ik vind, zo iemand als oom Ben... dat lijkt me gewoon meer iemand die gekke dingen kan doen, snap je? Dat heeft hij toch wel bewezen, vind ik.'

'Dat is misschien wel zo, maar hetzelfde kun je van Frank zeggen. Frank kan misschien wel heel aardig doen, maar uiteindelijk geldt voor hem in zekere zin hetzelfde als voor oom Ben. Bennie weet dingen over Frank die Frank koste wat kost geheim wil houden. En zijn belangen zijn wel even wat groter.'

'Nou, voor oom Ben staat er anders ook heel wat op het spel. Die kan zich helemaal niks meer veroorloven, volgens mij. Die kan die villa van hem niet eens meer betalen. Maar goed. Voor

Frank staat er ook veel op het spel. Daar heb je gelijk in. Daarom heb ik ook maar niet te veel gezegd. Moet ik zijn geheimen bij de politie gaan zitten verklappen, terwijl niet eens vaststaat of hij er iets mee te maken heeft?'

'Yvonne, jij zwijgt niet over Frank omdat je vindt dat dat hoort, dat je geen geheimen van een oude vriend mag verklappen, maar omdat je bang bent voor de gevolgen. Waar of niet?'

Yvonne staart voor zich uit.

'Heb ik gelijk of niet?' dringt Hidde aan. 'Bovendien, je kunt toch ook gewoon zeggen dat ze een conflict hebben gehad en in het midden laten waar dat over ging? Hij is jullie huisbaas. Een conflict met je huisbaas, dat is toch ook weer niet zó raar?'

Yvonne haalt haar schouders op. 'Misschien niet, nee.' Stilte. 'Maar het is niet alleen dat ik bang ben, hoor,' voegt ze er dan koppig aan toe.

Hidde wacht rustig af.

'... Ik heb me ook altijd een beetje schuldig gevoeld over dat hele gedoe met Frank. Ik vond wel dat Bennie met hem moest breken, en dat vind ik nog steeds, maar aan de andere kant heb ik het gevoel dat het allemaal mijn schuld is. Alsof ik degene ben die hem ertoe heeft aangezet...'

'Oké,' zegt Hidde. 'Dat snap ik. Maar waar het nu om gaat, is dat duidelijk wordt met wie Bennie problemen had, of ruzie, of wat voor onmin dan ook. Dat moet de politie weten. Dat zal zelfs Frank begrijpen. Ze gaan die mensen heus niet allemaal arresteren, maar ze moeten toch op zijn minst met ze práten.'

Yvonne knikt.

Hidde maakt een aantekening. 'Jij hebt de politie verteld over figuren op het Palet, met wie hij strubbelingen had. Je hebt ze verteld over oom Ben. Heb je daar trouwens nog meer over verteld?' vraagt hij. 'Weten ze wat voor akkefietje dat was?'

'Ik heb het in grote lijnen uit de doeken gedaan.'

'Voor zover ze het zelf niet weten dan, hè? Nou ja, oké. Maar dan blijft dus nog de kwestie met Frank.'

Frank Wellink was altijd de beste vriend van Bennie. Ze waren al bevriend toen Yvonne nog niet eens studeerde. En ze zijn altijd vrienden gebleven, tot Bennie, nog geen jaar geleden, van Frank te horen kreeg dat hij nog altijd in de hasjhandel zat. Op grote schaal. En dat hij daarom zoveel geld had, en daarom nooit aandrong op terugbetaling van de flinke lening die Bennie inmiddels bij hem had uitstaan.

Vroeger dealde Frank ook wel, maar dat waren andere tijden, heeft Bennie meer dan eens uitgelegd. Om te beginnen was het toen op een of andere manier onschuldiger, of althans, dat leek het. En bovendien waren ze nog jong. Dat was gewoon anders.

Op een gegeven moment was Frank trouwens ook met die handel opgehouden. Er werd verder niet meer over gesproken. Hij was in het audiovisuele wereldje gestapt. Hij had altijd al geliefhebberd met 8mm-filmpjes, maar nu was Frank een heus AV-bedrijf begonnen. En dat ging kennelijk goed, want hij begon gestaag binnen te lopen.

Achteraf heeft Bennie weleens tegen Yvonne gezegd: hoe heb ik kunnen geloven dat hij dat geld allemaal verdiende met dat AV-bedrijfje? Al zaten daar nog zulke lucratieve klussen bij.

Maar goed, Bennie had het geloofd – of had er liever niet bij stilgestaan. Misschien omdat hij er zelf altijd van meeprofiteerde. Hij hoefde maar een kik te geven of er werd weer een dikke envelop met geld bij hem afgeleverd. De geldkoerier, noemde hij het wel eens voor de grap. Dat is voor een kunstenaar die uit alle macht van zijn kunst probeert te leven wel heel verleidelijk. Bennies performances en installaties waren in de loop der jaren dan ook steeds duurder geworden – mede dankzij de bijdragen van Frank, die het allemaal geweldig scheen te vinden. Zoals die file-installatie, nog maar een paar maanden geleden. Op kosten van Frank had Bennie tientallen autowrakken naar een afgezet stuk weg ergens bij Herxen laten slepen, die hij vervolgens vanuit allerlei hoeken had gefilmd en gefotografeerd – ook vanuit de lucht, uiteraard. Als het aan Frank lag, kwam er altijd wel een helikopterreisje aan te pas, maar dat moest wel allemaal betaald worden. Zoals dat geintje bij de eerste betonstorting voor het nieuwe stadion, waar ze nog zo'n ruzie over had gehad met Bennie. Die idioot had nota bene aan een touw onder een helikopter gehangen. En dat had hij natuurlijk niet van tevoren verteld, dat kreeg ze pas achteraf te horen. Van Hidde, die erover gebeld had, omdat hij Bennie nog iets wilde vragen voor het stukje dat hij erover schreef. 'Zie, ik maak alle dingen nieuw,' had de stem van Bennie op een gegeven moment uit een luidspreker aan die helikopter geschald. Heel leuk dus. Maar vervolgens had Frank hem wel een gepeperde rekening gepresenteerd.

Toch hadden Bennie en Frank een sterke band, en die was, ondanks akkefietjes als dat gedoe met die helikopter, de laatste jaren nog eens versterkt doordat de vader van Frank ook alzheimer had gehad. Voordat Joop het kreeg. Bennie had toen meegeleefd met Frank, en Frank had op zijn beurt meegeleefd met Bennie. Het was Frank geweest die er bij Bennie op had aangedrongen om met zijn vader naar de geheugenpoli te gaan.

Frank had ook hun huis aan de Grote Markt gekocht. Dat was gebeurd toen de boekhandel beneden, die het hele pand in eigendom had, naar het Eiland verhuisde. Nu werden er in de winkel beneden geen boeken meer verkocht, maar broeken. De enige herinnering aan de tijden van weleer was de vermelding op de gevel: UITGEVERS, DRUKKERS EN BOEKVERKOPERS.

Frank had de vraagprijs moeiteloos op tafel gelegd. Hoe groot het aandeel in contanten was geweest, heeft Bennie nooit geweten. Maar sinds die tijd is Frank dus hun huisbaas.

En dat is nu heel vervelend, nu ze opeens als kemphanen tegenover elkaar staan.

Bennie heeft Yvonne in de loop van de tijd wat meer over Frank verteld, en Yvonne vond het helemaal niet leuk toen ze begreep dat het huis waar ze in wonen met drugsgeld gekocht is. Ze hadden er af en toe woorden over, maar uiteindelijk was het Bennie zelf die er op een gegeven moment genoeg van had. Op een avond was hij thuisgekomen, niet lang na die performance met die helikopter, en toen had hij verklaard dat hij het strontzat was. Ze hadden bij De Refter gegeten – dit was nog voor Bennie die opdracht van Sjakie en Francisca had gekregen – en hij had de helft van de schrikbarende rekening moeten pinnen terwijl Frank zijn eigen helft doodleuk in contanten op tafel legde. Terwijl hij ook al flink voor die helikopter moest dokken, meer eigenlijk dan Frank hem had voorgespiegeld. 'Terwijl die klootzak bulkt van het geld! Die hele zolder van hem, die ligt vol ordinaire tassen die uitpuilen van de bankbiljetten. En of ik dat allemaal maar even geheim wil houden!' Dat stak Bennie misschien nog wel het meest: dat zijn vriend hem met een geheim had opgezadeld.

Na lang wikken en wegen – ze had Bennie nog nooit zo nerveus meegemaakt – had hij de knoop doorgehakt en de vriendschap met Frank opgezegd. Telefonisch.

De lening die ze bij Frank hadden lopen, hebben ze inmiddels terugbetaald – dat had Bennie allemaal geregeld – maar ze wonen dus nog wel in Frank zijn huis. En dat willen ze eigenlijk zo houden. Ze wonen hier perfect, en voor Bennie geldt dat het toch een beetje 'zijn huis' is. Hij heeft hier als kind voor op het plein gespeeld en als jongen vaak geposeerd als er door Joop en zijn collega's op zolder naar model werd getekend. Dat wilde Bennie wel doen, mits hij erbij mocht lezen, zodat er tal van tekeningen van een lezende jonge Bennie bestaan. Er hangt er nog een op de gang, van Joop zelf.

'Heb je het nog over die galerielunch van laatst gehad?' vraagt Hidde.

'Je bedoelt toen een paar leden kwaad wegliepen?'

'Ja.'

'Ik geloof het wel. Ik heb in elk geval een paar namen genoemd. Weet je hoe lullig je je dan voelt?' vraagt ze opeens. 'Alsof je die mensen er op de een of andere manier bij lapt. En je weet zelf niet eens meer of je ze eigenlijk ooit hebt kunnen vertrouwen. Heel raar.' Ze kijkt Hidde onderzoekend aan, alsof ze betwijfelt dat hij het begrijpt.

'Ik kan me er iets bij voorstellen. Maar onder deze omstandigheden is het in elk geval geen kwestie van mensen erbij lappen, hoor, Yvonne. Jij moet de politie helpen Bennie op te sporen, en daarvoor moeten ze gewoon allerlei informatie hebben.'

'Ja. Informatie. Zonder informatie gaat het niet meer tegenwoordig.'

Hidde gaat er niet op in. Er is geen tijd voor cultuurkritiek. 'Hoe is het met Max?'

'Tja. Hoe is het met Max. Da's een goeie. Hij vraagt de hele tijd naar Bennie.'

'Wat akelig.'

'Ja. En Joop noemt me de hele tijd Marijke.'

Hidde zucht. 'Ja. Dat is ook vervelend,' beaamt hij. 'Dat doet me eraan denken: ze wilden zeker ook weten hoe je relatie met Bennie is.'

'Ja, en dat vond ik óók vervelend. Het klonk net alsof Bennie hem misschien gesmeerd is, omdat wij zo'n beroerde relatie zouden hebben of zoiets...'

'Ja, nou ja, ze moeten het wel vragen. Ze moeten het weten.' Hidde zou eigenlijk willen vragen wat ze gezegd had, maar hij bedenkt zich. Nu even niet. Hij slaat zijn opschrijfboekje dicht. 'Ik moet ervandoor, ik moet nog een stuk tikken.'

'Ik wou dat ik ook weer eens aan schrijven toekwam,' zegt Yvonne. 'Dat ligt nu helemaal stil.'

Hidde loopt om de tafel heen en legt even een arm om haar schouders. 'Dat komt wel weer.'

Yvonne kijkt niet op. 'Ik hoop het.'

Hij wrijft nog even zachtjes over haar schouder en laat haar dan met enige tegenzin los. Hij loopt naar de deur. 'Ik bel, oké?'

'Is goed,' zegt Yvonne mechanisch.

Hidde werpt nog een vluchtige blik op de 'Rembrandt' die Bennie voor zijn vader heeft gemaakt toen hij hier weer kwam wonen. De verloren zoon. De eerste keer dat ze hem die tekening hadden laten zien, was hij bijna in huilen uitgebarsten bij de gedachte aan het zoontje dat hij zelf verloren was, maar nu blijft die gedachte op de achtergrond en associeert hij de tekening eerder met Bennie zelf. Verloren zoon, waar hang je uit, denkt hij als hij de trap af loopt. Ze hebben je nodig.

Op de fiets is hij met zijn gedachten elders, maar als hij de redactie op loopt, vloekt hij. Dat had hij tien minuten geleden ook wel kunnen bedenken! Hij beent meteen door naar zijn bureau, pakt de telefoon en kiest het nummer van Yvonne. Het duurt even, maar dan neemt ze op.

'Ja, Yvonne, sorry hoor, nog even met mij. Er schiet me net iets te binnen. Ik zou graag even met jou in Bennies atelier rondkijken. Kan dat?'

'Ja, maar...'

'Als je wilt.'

'Ja, nee, ik wil wel. Ik weet alleen niet of ik daar wel een sleutel van heb.'

'We komen er vast wel in.'

# 12

'Koffie? Thee?' vraagt Bannink. Hij staat achter de bar. Yvonne heeft Joop net weer in zijn atelier achtergelaten. Daar heeft ze een doos met pastelkrijtjes voor hem opengedaan zoals een serveerster in een café een kistje met theezakjes openmaakt. Toen moest ze wel even aan die dagbehandeling denken waar hij niet meer naartoe wil. Met die kleurpotloden. Ze hoopte maar dat hij zich niet betutteld voelde. Dat leek echter mee te vallen.

'Koffie, graag,' zegt ze.

Even later kijkt ze al roerend in haar beker om zich heen. Het is al weer een tijdje geleden dat ze hier voor het laatst was. Niet dat er veel veranderd is. Aan de muren hangen vast andere posters, maar zo te zien nog altijd dezelfde ansichtkaarten in een rek, dezelfde tekeningen en schilderijen. Boven de oude piano, die, aftands als hij is, met enige regelmaat gestemd wordt door een donateur, en omlijst met restanten van slingers, hangt een schilderij van Joop. Een groot doek, in bruine en okergele tinten, van een tekenavond op het Palet. Een naakte man zit op een stoel, met zijn elleboog op de rugleuning – quasinonchalant, alsof hij niet ziet dat er in een halve kring om hem heen allemaal mensen achter tekentafels en ezels zijn fysiek aan het vereeuwigen zijn. Yvonne heeft van Bennie begrepen dat die mensen allemaal raak getroffen waren. Dat was ook aardig, en goed gedaan, zeker, maar daar ging het volgens Bennie niet zozeer om. Daar kon hij Joop altijd zo lekker mee stangen, zei Bennie, al was dat de laatste paar jaar wel minder geworden – alsof Joop zich eigenlijk niet meer druk kon maken om zijn kunst.

'Ik kan het niet uitstaan,' zegt Yvonne, met haar blik op het doek boven de piano. 'Joop is waarschijnlijk de laatste die Bennie hier nog gezien heeft, de enige die zou kunnen zeggen waar hij gebleven is, of die althans íets zou kunnen zeggen...' Ze hoeft haar zin niet eens af te maken.

'Ja,' beaamt Bannink. 'Het lijkt er wel op. Ik heb Sanne Kreeft nog gebeld. Die heeft Bennie en Joop nog wel gezien, maar niet gesproken, en ze heeft verder niks gemerkt.'

Yvonne kijkt teleurgesteld, alsof ze nog enige hoop op Sanne Kreeft had gevestigd.

'Maar ze was geloof ik ook al vrij vroeg weer weg,' vervolgt hij. 'En ze kon zich niet herinneren of er behalve Bennie en Joop nog iemand anders geweest was. Ze dacht van niet.'

'Joop is echt de enige,' stelt Yvonne mismoedig vast.

Bannink staat op alsof hem een licht opgaat. 'Hij is hier niet meer geweest, hè, sinds zondagavond? Zullen we eens kijken of er nog wat bij hem opkomt?'

Yvonne kijkt hem even heel moe aan. 'We kunnen het proberen,' zegt ze dan, met weinig overtuiging in haar stem.

Joop zit achter zijn tafel, op dezelfde plek waar Bannink hem zondagavond heeft aangetroffen en waar Yvonne hem net heeft achtergelaten. Je zou zweren dat hij hier al die tijd gezeten heeft, denkt Bannink.

'Joop!' roept hij al vanuit de deuropening. 'Joop!!'

' Ja, Joop is hier,' zegt Joop. Hij kijkt op, maar kan zich net niet helemaal naar de deur draaien.

'Ja, Joop is hier! Maar waar is Bennie?!' roept Bannink nog steeds even hard, alsof hij hoopt Joop met een schok bij zinnen te krijgen.

'Bennie?' zegt Joop.

Bannink kijkt Yvonne bijna triomfantelijk aan en roept: 'Ja, Bennie! Jij weet waar Bennie is!'

'Bennie?' zegt Joop nog een keer.

Bannink kijkt al iets minder triomfantelijk.

'Ja, Bennie! Wat heb je met Bennie gedaan?' Het doet Yvonne op een of andere manier meer aan een clownsnummer in een circus denken dan aan een serieuze poging de waarheid uit hem te krijgen.

Joop reageert verder niet. Wat zou er in godsnaam in dat hoofd omgaan, denkt Yvonne. Ze zegt maar niet tegen Bannink dat Joop háár in een min of meer helder moment ook al heeft gevraagd waar Bennie is.

Bannink is naast Joop gaan staan. 'Joop!'

Joop reageert nog steeds niet.

'Joop! Ken je Bennie nog?'

'Ja, Bennie. Die ken ik wel,' zegt Joop opeens.

Bannink kijkt weer veelbetekenend naar Yvonne en buigt zich over Joop heen.

'Ja, die ken jij heel goed! Dat is je eigen zoon, man!'

'Zoonke... zoonke...' Joop zegt het op zangerige toon en Yvonne slaat haar ogen ten hemel. Dat riedeltje kent ze.

Bannink moet zich inhouden om hem niet door elkaar te schudden.

'Waar heb je hem gelaten dan? Zeg op, Joop!'

'Hé, kunnen jullie wel?'

In de deuropening staat een lange man met donkere ogen. Ondanks zijn woorden glimlacht hij breed.

Bannink draait zich om. 'Ha, Roelof.'

'Hoi.' De man die met Roelof is aangesproken kijkt Yvonne aan. 'Ben jij ook Paletlid?'

'Nee,' zegt Yvonne. 'Mijn man. Bennie van der Kolk. Ik ben Yvonne Tromp.'

'Roelof Bruins,' zegt de man, en hij geeft haar een hand. 'Ik ben pas twee maanden lid.'

'We proberen erachter te komen waar Bennie is,' vertelt Bannink.

'Wat dan? Is die ervandoor?' zegt Roelof.

'Nou, hij is in elk geval verdwenen,' zegt Bannink. 'Zondagavond.'

'O?' Roelof kijkt Yvonne aan. 'Zomaar verdwenen?'

'Joop is waarschijnlijk de laatste die hem hier gezien heeft,' verduidelijkt Yvonne.

'O? Maar die weet dat zeker niet meer,' stelt Roelof vast. Hij is nog niet zo lang lid, maar ieder Paletlid kent Joop, die elke donderdagavond op zijn vaste plekje aan de bar zit.

'Nou ja, misschien wéét hij het nog wel,' zegt Bannink, 'maar is het weggezakt.'

'Krijg het dan maar weer eens boven water,' zegt Roelof.

'Als jij een manier weet,' zegt Bannink.

'Tja,' zegt Roelof. 'Dan stond ik hier waarschijnlijk niet.'

Ze kijken alle drie naar Joop als naar een apparaat dat het op een cruciaal moment heeft laten afweten.

'Gaan jullie ook mee tekenen?' Er staat weer iemand voor de deur die Yvonne niet kent, een jonge vrouw met een blonde paardenstaart en een peervormig lijf. Ze ziet Yvonne, zegt: 'Hoi,' en kijkt dan vragend naar de beide mannen.

'Ja, ik ga mee. Gaan we naar buiten?' vraagt Roelof.

'Ja, we gaan naar de sluis, bij het Katerveer,' zegt de vrouw.

'Nou. Ik hoop voor je dat Bennie gauw weer boven water komt,' zegt Roelof tegen Yvonne. Hij loopt naar de gang.

'Bedankt,' zegt Yvonne flauwtjes. Even voelt ze iets van woede opwellen.

Roelof en de vrouw gaan ervandoor. Yvonne hoort haar nog net iets over Bennie vragen.

'Nou,' zegt Bannink. 'We kunnen nog één ding proberen.'

'Wat dan?' vraagt Yvonne.

'We kunnen even met Joop naar Bennies atelier lopen.'

Bannink wacht haar verdere reactie niet af en pakt Joop onder een oksel beet. 'Ga je mee, Joop? Gaan we even aan de wandel.'

Joop schudt zijn hand van zich af, maar staat dan toch uit zichzelf op.

'Ga je mee?' zegt Bannink weer.

Joop zegt niks maar schuifelt naar de deur. Bannink loopt voor hem uit de gang op, gevolgd door Yvonne. Joop komt als laatste naar buiten.

Op de gang komt een jongeman langslopen die joviaal groet, maar Bannink is de enige die iets terugzegt.

Joop schuifelt de goede kant op en Bannink en Yvonne lopen langzaam met hem mee. Het lijkt wel of ze achter een kist lopen, bedenkt Yvonne. Ze schiet opeens vol. Houd daarmee op, trut, bijt ze zichzelf toe.

Als geroepen komt Hidde de hoek om.

'Ha, net op tijd,' zegt hij.

Yvonne stelt Hidde en Bannink aan elkaar voor.

'Dit is de huismeester,' zegt ze met een knikje naar Bannink. Hidde geeft hem een hand.

'Arjen Bannink,' zegt de huismeester.

'Hidde Dantuma.'

'Ah,' zegt Bannink. 'We hebben hier al de politie gehad, en nou ook nog een misdaadverslaggever.'

'Ja. Maar ik ben hier in de eerste plaats als vriend van Yvonne, hoor,' zegt Hidde, in een poging Yvonne gerust te stellen. 'En van Bennie,' voegt hij eraan toe.

Yvonne glimlacht flauwtjes.

'En van Joop,' zegt Hidde. Joop krijgt een klap op zijn rug. 'Ha, Joop.'

Even later staan ze met z'n vieren voor de deur van Bennie. Bannink steekt zijn loper in het sleutelgat. 'Sesam, open u,' zegt hij, en hij duwt de deur open. Hidde gaat als eerste naar binnen. Yvonne komt vlak achter hem aan. Bannink trekt Joop met zachte hand over de drempel.

Hidde en Yvonne kijken om zich heen.

'Wat zei je nou, Joop? Zondagavond?' zegt Bannink, als Joop ook naar binnen is geschuifeld. 'Bennie heeft gevochten. Maar hij heeft het ook weer netjes opgeruimd. Dat was het toch?'

'Frank is op slot,' zegt Joop.

'Frank?' zegt Bannink. 'En Bennie dan?'

'Frank?' herhaalt Yvonne. Ze kijkt naar Hidde, en dan doordringend naar Joop, maar haar blik dringt niet door de mist heen.

'En Bennie dan?' probeert Bannink nog een keer.

Hidde loopt rond en geeft zijn ogen de kost, maar hij ziet niks bijzonders. Het is de gebruikelijke rommel die je in elk atelier aantreft. Een tafel met plastic flessen verf in allerlei kleuren. Tubes, potjes, kwasten, penselen. Een paar stoelen. Rijen doeken tegen de muur. Veel doeken, trouwens, voor een groot deel van hetzelfde formaat. Hij trekt er een naar zich toe en kijkt. 'Ah. Daar zullen we René IJzerman hebben. Onze bloemist.' Hij zet het doek weer terug en loopt naar de ezel. Daar staat ook zo'n fors doek op. 'En de heer Haak,' zegt Hidde als hij ervoor staat. 'Ook toevallig.'

Yvonne kijkt nog steeds naar Joop. 'Hij had het nog niet eerder over Frank gehad.'

'Frank krank zank lank,' zegt Joop. Hij laat zich langzaam op een stoel zakken.

'Wie is Frank?' vraagt Bannink.

'Frank is onze huisbaas,' zegt Yvonne.

'Ah. Een belangrijke figuur, Joop,' zegt Bannink tegen Joop. 'Die moet je te vriend houden.' Hij lacht een beetje, maar Yvonne lacht niet mee.

'Yvonne,' zegt Hidde.

'Ja?'

'Moet je zijn palet eens zien.'

Yvonne komt erbij staan.

'Wat is daarmee?'

'Nou, moet je kijken. Die donkerrode, ingedroogde klodders. Dat ziet er niet uit alsof hij wat rood wilde bijmengen, of wel?'

Bannink komt er nu ook bij staan. 'Nee. Niet echt.'

Hidde kijkt naar Joop. 'Wat zei die nou?' vraagt hij aan Bannink. 'Bennie had gevochten, maar alles netjes weer opgeruimd?'

Yvonne kijkt naar Hidde.

'Alles, behalve zijn palet,' zegt Hidde. 'Zo te zien.'

'Het lijkt wel bloed,' zegt Bannink.

Yvonne trekt wit weg.

Hidde kijkt naar Yvonne, pakt haar bij de arm en weet haar amper overeind te houden. Het is alsof ze even haar bewustzijn verliest. Bannink pakt haar andere arm en zo slepen ze haar naar de stoel naast Joop.

Joop lijkt niks in de gaten te hebben.

Yvonne kijkt lodderig uit haar ogen. 'Dat... dat zal toch geen bloed zijn?'

'Ik weet het niet,' zegt Hidde, met een blik op het palet. 'Maar het is misschien toch beter als de politie er ook even naar kijkt.'

Yvonne slaat haar handen voor haar gezicht en blijft doodstil zitten.

Hidde slaat een arm om haar schouder. 'Gaat ie?'

Yvonne schudt haar hoofd. Het gaat helemaal niet. 'Ze zijn hier al geweest,' zegt ze dan, vanachter haar handen.

'Wie?' zegt Hidde.

'De politie.'

'Ja?'

'Als het bloed was, zouden ze dat toch wel gezien hebben?' vraagt ze met een dun stemmetje.

'Ja. Misschien wel, ja. Misschien is het toch verf.'

'Ik haal een glas water,' zegt Bannink, als Yvonne met haar handen voor haar gezicht blijft zitten.

'Graag,' zegt Hidde. 'Dan bel ik de politie.'

'Dat wil ik ook wel doen,' biedt Bannink aan.

'Nee, dat doe ik wel,' zegt Hidde. 'Ik heb mijn contacten daar.'

'Ah, natuurlijk,' zegt Bannink. 'Oké.' Hij loopt de deur uit.

Hidde blijft met zijn arm om Yvonne heen staan, zijn blik op het palet gericht.

'Hij beroemde zich er altijd op dat zijn palet zo overzichtelijk was bij deze serie,' zegt Yvonne van achter haar handen. 'Zo overzichtelijk, dat hij blind zou kunnen schilderen.'

'Hm,' zegt Hidde. Hij kijkt naar het doek. Zo te zien is het een kleur die niet is terug te vinden. Maar dat hoeft nog niks te zeggen.

'Kijk eens,' zegt Bannink, als hij weer binnenkomt, nu met een glas water.

Yvonne laat haar handen zakken. Ze is nog steeds lijkbleek en maakt geen aanstalten het glas aan te pakken.

Hidde neemt het glas van Bannink over en brengt het naar haar mond alsof ze net zover heen is als Joop, die al die tijd stilletjes naast haar is blijven zitten. 'Toe maar,' zegt hij. 'Drink maar even wat.'

Yvonne neemt een paar teugjes.

'Gaat het?' vraagt Hidde weer.

Yvonne knikt flauwtjes. Een druppel biggelt van haar onderlip naar haar kin.

'Ga ik even op de gang met de politie bellen. We moeten alles uitsluiten,' zegt Hidde. Het klinkt hemzelf als een loze troostpoging in de oren. Hij betwijfelt of ze zoveel uit te sluiten hebben.

# 13

Yvonne kan de slaap niet vatten. In haar hoofd tuimelt alles door
elkaar, als in een wasmachine. Bennie, zijn palet, Joop, Hidde,
niets blijft op zijn plek. Als ze eindelijk inslaapt, schrikt ze een
paar keer wakker. Eén keer heeft ze haar laatste droombeeld nog
haarscherp voor ogen: Bennie, met een flinke kwast in de ene, en
een emmer rode verf in de andere hand. Hij staat voor een groot
doek waarop in vlotte donkere lijnen een zelfportret is neergezet
en doet in zijn houding denken aan het schilderbeest Karel Appel
in de film van Jan Vrijman. Met de kwast lepelt hij de verf zo ongeveer uit de emmer en kwakt die op het trillende linnen. 'Ik begin
vanuit de materie,' zegt hij, terwijl zijn trekken op het doek langzaam in rood worden gesmoord, 'en dat is bloed.'

# 14

Het liefst draai ik dit onderzoek zelf, denkt Eikenaar – een nutteloze gedachte, zoals hij zelf het beste weet. Hij heeft het in zijn loopbaan nou eenmaal niet verder geschopt dan de rang van inspecteur. En moet je hem nou zien zitten: dik in de vijftig, en opeens wordt hij aan alle kanten voorbijgestreefd door van die ambitieuze types die zijn kinderen hadden kunnen zijn. Ergens in zijn leven heeft hij een verkeerde keus gemaakt. Maar waar? Er is een tijd geweest dat zijn vrouw nog weleens aan hem vroeg wanneer hij zo'n opsporingsteam ging leiden, en dat hij dan enigszins raadselachtig kon zeggen: 'Wacht maar af.' Maar die tijd is geweest. Zijn vrouw vraagt het niet eens meer.

Er wordt geklopt. Eikenaar neemt nog snel een slok koffie en besluit zich manmoedig over zijn teleurstelling heen te zetten.

'Binnen. Morgen, Henk. Ga zitten.'

Commissaris Henk van Dam oogt energiek als altijd. Een lange man met een mooie kop haar en priemende ogen. Hij is misschien net in de veertig, maar hij heeft zijn sporen al ruimschoots verdiend. Eerst in Amsterdam, waar hij nog een rol heeft gespeeld bij het oplossen van dé ontvoering van de twintigste eeuw: de Heineken-ontvoering. Daarna heeft hij vanuit Zwolle twee jaar leiding gegeven aan het Kernteam Noord & Oost Nederland, dat speciaal belast was met de bestrijding van de Turkse georganiseerde criminaliteit. Tegenwoordig is hij districtschef. Een man met hart voor de recherche.

Hoe graag Eikenaar het ook anders zou willen, Van Dam is toch echt de meest geschikte leider van het TGO dat klaarheid moet brengen in de zaak-Van der Kolk. Er is inmiddels intensief overleg geweest tussen het hoofdbureau en het Openbaar Ministerie. De verdwijning van Bennie van der Kolk begint al rond te zingen in de stad. Op het internet zijn de eerste flauwe grappen gemaakt.

'Ik heb uitvoerig met de officier van justitie gesproken,' zegt Van Dam. 'We hebben groen licht voor het optuigen van een TGO. Dat bloed op zijn palet heeft de doorslag gegeven, al weten we nog niet van wie het is. Had jij toevallig al over een goede naam nagedacht?' voegt hij er meteen voortvarend aan toe. Hij kijkt Eikenaar doordringend aan. Zijn ogen zijn net laserstralen. 'Geeft niet,' vervolgt Van Dam zonder een antwoord van Eikenaar af te wachten. 'Ik heb er al een. Het Rembrandt-team. Slaan we mooi een heleboel vliegen in één klap mee. Iedereen kent *De Nachtwacht* van Rembrandt. En *De Nachtwacht* is kunst, Van der Kolk is in de nacht verdwenen en met zijn lange manen zou hij op *De Nachtwacht* niet misstaan.' Hij kijkt Eikenaar triomfantelijk aan.

'Aan de naam zal het niet liggen...' zegt Eikenaar voorzichtig. Het lijkt wel alsof Van Dam meteen wil uitrukken, denkt hij. Maar dan moet er toch echt eerst nog het een en ander geregeld worden. 'En hoeveel mensen trekken we dan uit voor dat Rembrandt-team?' vraagt Eikenaar ogenschijnlijk langs zijn neus weg.

Van Dam hoeft niet eens na te denken. 'Twintig. Dat maakt indruk. Dan weten de mensen dat we de zaak serieus nemen. Ik wil zeker de helft rechercheurs. Je ziet maar waar je de overige leden vandaan haalt. Verkeerspolitie, hondenbrigade, straatagenten, allemaal goed. Als ze maar van wanten weten. Maar tien ervaren rechercheurs die stuk voor stuk eerder een moordonderzoek hebben gedraaid. Die moeten er in elk geval bij. Dan heb je vijf koppels. Dat moet voldoende zijn.' In moordend tempo deelt Van Dam de verdere instructies uit, ruimte inrichten, dossiermaker aan de slag, wagens voor de koppels vastleggen, technisch rechercheurs instrueren, alles wat nodig is voor een volwaardig onderzoek. 'En Eikenaar, knoop één ding in je oren. Officieel ben ik de leider van het team, maar wij doen dit samen. Jij en ik. Ik ga je hard nodig hebben. Aan de slag!'

Twee uur later zitten ze met z'n allen in een zaaltje op de eerste verdieping van het bureau. Twintig man. Precies wat Van Dam wil. Onder hen tien ervaren rechercheurs. Niet meer, niet minder. Van Dam neemt meteen het woord. 'Welkom allemaal, leden van het Rembrandt-team.'

'Het Rembrandt-team?'

'Jullie hebben inmiddels begrepen waarvoor we hier zitten. Bennie van der Kolk, al jaren de bekendste kunstenaar van Zwolle, en hij is er met zijn vedettengalerij voor FC Zwolle alleen maar bekender op geworden, wordt sinds zondagavond jongstleden vermist. En omdat hij zo'n bekende kunstenaar is, zijn wij het Rembrandt-team.'

Hij kijkt even opzij naar Eikenaar, maar die blijft met een onbewogen uitdrukking op zijn gezicht voor zich uit kijken.

'Duidelijk,' helpt een jonge agent die vooraan zit hem uit de brand.

'Dat dacht ik ook,' zegt Van Dam. 'En het doel van ons onderzoek is ook duidelijk. Dat is het terugvinden van Bennie van der Kolk.'

'Daar moeten we dan maar eens een flinke kroegentocht tegenaan gooien!' roept iemand.

'Dat zou je denken,' zegt Van Dam, 'maar het lijkt erop dat er iets serieuzers aan de hand is. Op het palet dat hij zondagavond gebruikte bij het schilderen, is bloed gevonden. Dat bloed wordt nog onderzocht, maar dat was voor de officier van justitie in elk geval reden genoeg om er een TGO op te zetten. We hebben besloten het onderzoek meteen breed op te zetten. Dat betekent allereerst een intensief buurtonderzoek in de directe omgeving van het Palet. Huis aan huis. Eikenaar stelt de koppels samen. Verder moeten we zo snel mogelijk met een opsporingsbericht komen. Mogelijk hebben bijvoorbeeld automobilisten iets verdachts gezien. Ik schrijf de tekst. Verder wil ik al het materiaal hebben van bewakingscamera's. Maakt me niet uit van wie of van wat. Ook uit die kastjes boven de snelweg. De technische recherche keert intussen het atelier van Van der Kolk binnenstebuiten en zoekt naar sporen. Vingerafdrukken, DNA-sporen, eventueel bloed, de hele mikmak. De digitale rechercheur kan aan de slag met het mobieltje van Van der Kolk en kijken met wie hij de afgelopen tijd gebeld heeft. Ja?' zegt hij tegen de agent van de kroegentocht.

'Van der Kolk is wel bekend, maar bekend maakt nog niet bemind.'

'Hoe bedoel je?'

'Nou, volgens mij heeft hij nogal wat vijanden.'

'Daar wil ik het in elk geval nog even met jullie over hebben, ja. Je hebt gelijk. Van der Kolk schijnt zich niet bij iedereen even geliefd te maken. Hij neemt zogezegd geen blad voor de mond, in elk geval niet als hij het over collega's heeft. Maar er zijn ook nog andere interessante kwesties. Er zijn in elk geval twee mensen waar ik meteen een koppel op af wil sturen. Dat is ten eerste zijn huisbaas: Frank Wellink. Die woont in Giethoorn.' Er klinkt wat gemompel waaruit blijkt dat Wellink geen onbekende is. 'Van der Kolk is lang met hem bevriend geweest,' vervolgt Van Dam, 'maar nog niet zo lang geleden schijnen ze ruzie te hebben gekregen, weet ik uit betrouwbare bron. Reden genoeg om eens met die man te gaan praten. En als dat niet genoeg is, dan zijn z'n drugsconnecties altijd nog interessant genoeg om eens een babbeltje te maken.' Weer enig gemompel. 'En dan heeft Van der Kolk ook nog een oom met wie hij in de clinch ligt. Die is eveneens lid van schildersvereniging Palet en schijnt gebrouilleerd te zijn met Bennie. Daar moet ook een koppel naartoe. Dan is er verder nog de man die hij zondagavond aan het schilderen was, voor zijn eregalerij. Dat is vastgoedbaas Haak, u vast goed bekend. Alleen die zit nog in het buitenland.' Hij kijkt weer even opzij.

'Haak zit in Kroatië,' vult Eikenaar aan. 'Die wordt zaterdag terugverwacht, en dan zal hij meteen verhoord worden.'

'Uitstekend', zegt Van Dam. 'Elke ochtend negen uur doorloop, dat wil ik met jullie afspreken. Officier van justitie Pietersen zal er elke ochtend bij zijn en wil op de hoogte worden gehouden als er belangrijke ontwikkelingen zijn. Oké? We moeten Van der Kolk boven water krijgen. En levend en wel graag.'

# 15

Woensdag is de enige dag in de week dat Max naar de crèche gaat. De hele dag, dat gelukkig wel. Op woensdag kunnen ze beiden aan het werk, Bennie in zijn atelier, of de boer op om werk te verkopen, zij in haar werkkamer in de Oude Ambachtsschool. Maar nu kan ze nóg geen kant op! Ze heeft nog een kind in huis. Dat kind heet Joop. En die kan ze moeilijk zonder Bennie naar het Palet sturen.

Yvonne doet wat redelijkerwijs van haar verlangd mag worden, ze verzorgt zijn natje en zijn droogje, maar verder mijdt ze haar schoonvader zo veel mogelijk. Het huis is er groot genoeg voor. Het kan ook niet anders, houdt ze zichzelf voor. Vanmorgen was ze weer zo kwaad op hem, omdat hij het vertikte zijn overhemd aan te trekken. Die verhalen over agressie jegens ouderen, jegens eigen hulpbehoevende ouders, opeens kan ze het zich heel goed voorstellen. En dat vindt ze vreselijk. Wat zou Bennie er wel niet van zeggen? Nou ja, waarschijnlijk zou die het nog wel begrijpen ook. Maar toch vindt ze het akelig. Had ze Joop maar wat langer gekend toen hij nog gewoon bij zinnen was, dan had ze het misschien beter kunnen opbrengen, maar toen ze een relatie met Bennie kreeg, was Joop al aan het dementeren.

Haar eigen vader is jong overleden, Yvonne was net dertien. Haar moeder leeft nog en is ook al in de zeventig, maar die is geestelijk nog prima in orde. Niks mis mee, althans niet in medische zin.

Yvonne realiseert zich dat ze haar moeder nog niet eens gebeld heeft sinds Bennie wordt vermist. Maar ja, wat moet ze ook zeggen? Bennie is weg? Dikke kans dat haar moeder alleen maar de verkeerde dingen zegt. Aan de andere kant: als dit nog lang gaat duren, zal ze er niet onderuit kunnen. Wanneer er officieel sprake is van een vermissing, zal ze het toch aan haar moeder moeten vertellen. Maar in dit stadium heeft ze daar nog helemaal geen zin in.

Yvonne vloekt binnensmonds. Waarom moet het contact met haar moeder altijd zo moeizaam verlopen? Waarom heeft ze niet gewoon een moeder die ze kan bellen en die dan meteen in de auto stapt? Die moeders bestaan, en echt niet alleen in ingezonden brieven in damesbladen!

Maar haar moeder hoeft ze niet om hulp te vragen. Die is op haar vrijheid gesteld. Yvonne was nog maar net zwanger, of ze liet al nadrukkelijk weten dat ze niet van plan was voor oppasoma te gaan spelen.

Bennie!! Waar zit je? Wat is er gebeurd?! Waar ben je mee bezig...?

De telefoon gaat. Ze snelt naar de gang en neemt op.

'Met Andrea Mulder, familierechercheur van het Rembrandtteam.'

Er gaat bij Yvonne niet meteen een lichtje branden.

'Wij doen onderzoek naar de vermissing van uw man, en mijn collega en ik zijn degenen die het contact met u zullen onderhouden.'

'O.'

'Schikt het als we zo even bij u langskomen? Kunnen we even kennismaken en kunnen we u meteen van de eerste bevindingen op de hoogte stellen.'

Nog geen kwartier later zitten ze tegenover haar: Andrea Mulder en haar collega René van der Meer. Andrea is een mollige, stralende dertiger met donker, halflang haar. René is een schonkige boer die Yvonne iets ouder lijkt, in de veertig misschien. Nog niet zo oud als Bennie. Ze blieven geen koffie.

'Daar komen we niet voor,' zegt Van der Meer.

Andrea Mulder legt in het kort uit waar het rechercheteam in dit beginstadium mee bezig is. Yvonne weet dat ze geboeid zou moeten luisteren, maar het gaat voor een belangrijk deel langs haar heen. Als Andrea het woord getuigenverhoor laat vallen, kan Yvonne het niet laten om bitter vast te stellen dat er waarschijnlijk maar één getuige was, en die heeft alzheimer.

'Ja, maar we moeten natuurlijk heel goed zoeken naar andere mogelijke getuigen.'

Daar kan Yvonne haar geen ongelijk in geven. De rechercheur heeft het over een sporenonderzoek. 'We hebben net de uitslag gekregen van het bloed dat is aangetroffen.'

Opeens klopt het hart Yvonne in de keel. 'O ja?' Ze weet niet eens of ze de uitslag wel wil horen.

'Het is inderdaad van uw man.' Yvonne voelt het bloed uit haar gezicht wegtrekken. 'Het matcht met DNA dat van hem is afgenomen, van iets wat hij heeft aangeraakt, en eh... nou ja, het was dus van uw man.'

'O.' Yvonne blijft naar de grond kijken tot de sterretjes voor haar ogen wegtrekken.

'Dat wilden we u in elk geval even melden. Het is een ernstige aanwijzing dat het om een misdrijf kan gaan.'

Ernstig. Misdrijf.

'We zullen er natuurlijk alles aan doen om het zo snel mogelijk op te lossen.'

'Ja.'

'Mevrouw Tromp?'

'Ja?'

'Gaat het?'

'Niet echt.'

'U ziet zo bleek.'

'Het dringt allemaal nog niet zo tot me door,' zegt Yvonne dan zo kordaat mogelijk, en ze kijkt de twee om beurten aan. 'Maar het was dus bloed, op zijn palet.'

'Ja. Maar verder zijn nergens bloedsporen gevonden. Dat is wel een beetje raar.'

'Ja, dat is inderdaad raar.' Bennie zei weleens dat een goed schilderij met bloed, zweet en tranen geschilderd was, maar dat had ze altijd in overdrachtelijke zin opgevat. Ze heeft niet het idee dat Bennie in dit geval echt van plan was met bloed te gaan schilderen, van wie het ook was. 'Maar...'

'Ja?' klinkt de stem van Van der Meer.

'Ik heb begrepen dat Joop, mijn schoonvader, die er dus zondagavond bij was, of in elk geval in de buurt, dat die gezegd heeft dat Bennie had gevochten, maar dat hij het ook weer netjes had opgeruimd. Is dat misschien nog interessant om te weten?'

'Ja zeker, mevrouw. Alles is interessant, of kán interessant zijn. Ik zal er een notitie van maken en dan nemen we het mee in het onderzoek.' Andrea – die dat detail van die vechtpartij al uit de overdracht kende – pakt inderdaad een boekje en schrijft iets op.

Als ze opkijkt, valt haar oog op de tekening van de verloren zoon. 'Hé,' zegt ze. 'Een Rembrandt.'

Yvonne volgt haar blik. 'Ja,' zegt ze met een flauwe glimlach. 'Zij het geen echte. Deze heeft Bennie gemaakt.'

'O?' Andrea staat op en loopt ernaartoe. 'Nou, ik zal me niet als kenner voordoen, maar deze doet me wel heel sterk denken aan de tekening die ik uit de Rembrandtbijbel van mijn ouders ken. Goed, hoor.'

'Ja.' Yvonne komt naast haar staan. 'Het is nog echt zeventiende-eeuws papier waar hij hem op gemaakt heeft. *De verloren zoon.*'

'Ik vind hem heel mooi.' Andrea legt even een hand op haar schouder. 'We zullen u niet langer ophouden, maar we zullen ons uiterste best doen deze verloren zoon zo snel mogelijk op te sporen. En u kunt ons altijd bellen.' Haar collega is inmiddels ook opgestaan. 'Ik geef u een kaartje,' vervolgt Andrea, 'daar staan ook onze mobiele nummers op.'

Yvonne kijkt plichtmatig naar het kaartje dat haar in handen wordt gedrukt. Het politievignet zou een vertrouwenwekkende uitstraling moeten hebben, maar het doet haar weinig.

'U kunt ons altijd bellen,' zegt Andrea nog een keer.

'Ja. Dat is goed.'

Yvonne krijgt twee keer een hand, van elk een.

'We komen er zelf wel uit, hoor,' zegt Andrea.

Yvonne knikt. Even later hoort ze beneden de deur in het slot vallen. Ze brengt haar handen naar haar gezicht. Wat is er in godsnaam gebeurd? Wat kán er gebeurd zijn? Familierechercheurs. Of het nou door dat rare woord komt, familierechercheurs, of misschien wel door het familiedrama van de verloren zoon, ze zou het niet durven zeggen, maar ineens moet Yvonne weer aan oom Ben denken.

Die hufter.

De hele affaire staat haar nog helder voor ogen. Oom Ben had zich kwaad genoeg gemaakt om Bennie iets te kunnen aandoen, en het is nadien nooit meer goedgekomen. Het was allemaal begonnen toen Bennie van Hoetink te horen kreeg dat zijn oom bij hem was geweest. Hoetink is de advocaat die bijna alles van Bennie aankoopt voor wat wel schertsend zijn Bennie van der Kolk Museum wordt genoemd. Oom Ben had zich aan hem voorgesteld als de oom van Bennie, en hem zijn zaak voorgelegd in de hoop dat Hoetink hem uit de nesten kon helpen. Bennie hoorde achteraf van Hoetink dat zijn oom flink de fout in was gegaan en dat er aan zijn zaak geen eer te behalen viel. Of Hoetink daarmee zijn beroepsgeheim heeft geschonden of niet, dat weet ze niet, maar Hoetink wilde hem in elk geval niet eens verdedigen, hij had oom Ben aangeraden een schikking te treffen.

Na die rechtszaak was oom Ben al een beetje moeilijk gaan doen. Alsof hij het Bennie op de een of andere manier kwalijk nam. Idioot. Alsof het Bennies schuld was dat Hoetink hem niet helpen kon.

Maar de bom was pas echt gebarsten toen Ben penningmeester van het Palet werd en hij naar Bennies zin iets te nadrukkelijk aanpapte met twee dames, een die zelf lid was en de weduwe van een prominent lid, mevrouw Roberts, bij wie ook het nodige te halen viel. Blauw bloed op het Palet. Bennie had het een poosje aangezien, maar op een gegeven moment was hij op zijn oom afgestapt. Hij wilde zijn oom duidelijk maken dat hij op zijn tellen moest passen, dat hij niet moest proberen hier hetzelfde kunstje te flikken als waar hij eerder bijna voor veroordeeld was, maar oom Ben had de rollen brutaalweg omgedraaid: hij was vreselijk tegen Bennie uitgevallen en had hem te verstaan gegeven dat hij zich nergens mee moest bemoeien en het niet moest wagen tegen wie dan ook zijn bek open te trekken.

Vanaf die dag heeft Ben geen woord meer tegen Bennie gezegd. Op het Palet, normaal gesproken voor Bennie een warm bad, hoe graag hij ook tegen het werk van al die 'andere knuppels' mag aanschoppen, lopen ze elkaar sindsdien straal voorbij. Ben heeft Hidde toen nog toegebeten dat hij stof voor hem was, maar Bennie was vanaf die dag kennelijk lucht voor hem. Of het oom Ben makkelijk afging om zo akelig te doen wist ze niet. Yvonne wist echter wel dat Bennie er vreselijk mee in zijn maag zat.

Bennie is volgens haar bepaald niet het haatdragende type, toch heeft hij meer dan eens tegen haar gezegd dat hij oom Ben echt haatte.


De telefoon op de gang gaat. Yvonne snelt erheen voordat Joop kan opnemen – hoewel het geluid waarschijnlijk niet eens tot hem doordringt, waar hij ook mag uithangen.

'Yvonne Tromp.'

'Ja, Francisca Visser. Is Bennie van der Kolk daar ook?'

Francisca van De Refter. 'Nee, die is hier niet.'

'Weet jij misschien waar hij uithangt? Hij zou vannacht in het Rasphuis overnachten en vandaag voor ons aan het werk gaan, maar hij is hier niet geweest en hij heeft ook niks laten horen.'

'Nee, dat klopt,' hoort Yvonne zichzelf zeggen.

'Hoezo, dat klopt?'

'Nou, hij is al een paar dagen weg. Ik weet ook niet waar hij uithangt.' Yvonne is zich vaag bewust van een lichte opluchting dat Bennie in elk geval niet bij Francisca is, hoewel ze meteen betwijfelt of ze misschien toch niet liever wilde dat het wel zo was geweest.

'O? Dus je weet niet of hij van plan is vanavond wél te komen?'

'Nee! Dat weet ik niet, nee! Ik maak me doodongerust.'

Het is even stil aan de andere kant van de lijn. Ze hoort Francisca met gedempte stem iets tegen iemand anders zeggen. Yvonne moet zich inhouden om de hoorn niet op de haak te smijten. 'Hallo?' zegt ze met nadruk.

'Ja? O jee. Dat is lastig,' begint Francisca, 'we...'

'Ja, dat is inderdaad héél lastig!' roept Yvonne uit. 'En weet je voor wie dat vooral heel lastig is? Voor mij, ja! Voor mij!!' Met een klap gooit ze de hoorn op de haak.

'Trut!' roept ze naar het toestel. De telefoon en de gang lossen op in een waas van tranen waarin zilte beelden opdoemen van Bennie die afgelopen zondag met Joop naar het Palet ging, nadat zij stennis had gemaakt over die klus in dat bajeshotel. Waarom hij die zo nodig moest aannemen, als hij zo graag zijn eregalerij af wilde hebben?! Wat had hij met die mensen te maken? Het was hun laatste afscheid geweest en ze probeerde er nu al een paar dagen niet aan te denken dat hun laatste kus wel wat hartelijker had gemogen.

# 16

Karin Pietersen heeft er geen moeite mee als laatste een zaal vol mannen binnen te komen. Haar hakken tikken driftig. Alle blikken volgen haar tot ze de stoel naast Van Dam pakt en gaat zitten. Uit haar rok komen twee benen zó welgevormd dat het niemand kan ontgaan. Haar stilettohakken zouden als corpus delicti in een moordzaak niet misstaan. 'Ik luister,' zegt ze.

Karin Pietersen is officier van justitie. Ze is net terug van drie jaar Aruba. Tropenjaren, zoals ze zelf zegt. Letterlijk en figuurlijk. Normaal gesproken kunnen Nederlandse magistraten die zijn uitgezonden een paar jaar ongestraft uitblazen in de West. Overdag is het soms stevig aanpoten, maar daarna wacht altijd wel ergens een borrel op een zonnig terras, of een vernissage van een of andere bekende Nederlander die ook eens de kwast ter hand heeft genomen. Paletridders genoeg in die contreien.

Maar Pietersen kon vrijwel meteen na aankomst op Aruba aan de slag met de verdwijning van een Amerikaans meisje: Natalee Holloway. Het brutale blondje was na een wilde nacht zoekgeraakt.

'We zullen hem vinden,' had ze enigszins verbeten tegen Van Dam gezegd toen ze de zaak-Van der Kolk besproken hadden. Van Dam wist best waar die verbetenheid vandaan kwam. Het meisje Holloway was niet gevonden.

Het is negen uur. Het voltallige Rembrandt-team zit stipt op tijd bijeen voor de doorloop. Bij een vermissing zijn de eerste dagen voor het onderzoek van vitaal belang. Wat dat betreft beginnen ze op forse achterstand. Bennie wordt al sinds zondag vermist. Maar ja, Bennie is geen kleuter. Als er een kind wordt vermist, is er bij wijze van spreken binnen tien minuten groot alarm geslagen, maar hoe gaat dat bij volwassen mannen?

De benen van Karin Pietersen moeten het even afleggen tegen Van Dam. Alle ogen zijn nu op hem gericht. Aan zijn andere zijde zit een zwijgende Eikenaar.

In telegramstijl brengt de commissaris verslag uit van de eerste resultaten. Het buurtonderzoek heeft heel weinig opgeleverd. Een paar tips over een wegscheurende, donkere auto. Een bewoner meende in het voorbijgaan drie mannen te hebben gezien. Maar geen bekenden. En zeker geen Bennie van der Kolk. Dat wist de man heel zeker: 'Bennie herken ik uit duizenden! Ik heb vorige week nog een kop soep bij hem zitten eten, tussen de middag. Had-ie zelf gemaakt.'

Op camerabeelden van de A28 is ondanks de mistflarden een donkerkleurige B M W te zien die in de richting van Meppel en uiteindelijk wellicht Duitsland rijdt. Met een Duits kenteken. Het betreft een leaseauto van een garagebedrijf in Frankfurt. Nadere informatie volgt.

Van Dam laat zijn stem zakken en kijkt even het zaaltje rond. In het circus zou je nu waarschijnlijk een aanzwellend geroffel horen.

'Rond een uur of halfeen zondagnacht,' begint hij, nog steeds met die rondspeurende blik, alsof de reactie van zijn mensen belangrijke aanwijzingen zou kunnen opleveren voor het onderzoek, 'is bij het voetbalstadion in aanbouw een donkere B M W gezien. Een man die zijn hond uitliet heeft bovendien geschreeuw gehoord. Maar hij kon, misschien wel door de mist, niet goed plaatsen waar het vandaan kwam. En lang duurde het niet. Even later reed de B M W weer weg, volgens die man met piepende banden.'

Hij laat even een stilte vallen. Zijn blikken schieten als laserstralen door de zaal. 'Het zou kunnen dat Van der Kolk daar die nacht inderdaad geweest is. Maar wat was daar aan de hand? Was het dezelfde B M W? En van wie was dat geschreeuw? Was dat Van der Kolk? Of waren het gewoon bouwvakkers? Die jongens, en daar zitten nogal wat Polen bij, zijn daar dag en nacht bezig. In dat bewuste weekeinde schijnen ze nogal wat beton te hebben gestort. Wordt daar nooit bij geschreeuwd? Dat kun je je afvragen.'

Hij kijkt in zijn papieren. 'Dan was er nog het bloed op het palet van Van der Kolk.' Hij kijkt de zaal weer in. 'Dat was inderdaad van Van der Kolk. Opvallend is echter dat de technische recherche verder nergens bloed heeft aangetroffen. Niet in zijn atelier, niet op de gang, niet voor de ingang, nergens. Geen druppel.'

Het team hangt aan zijn lippen. Sommige agenten maken aantekeningen. Anderen kijken alsof ze in de kerk naar een preek zitten te luisteren.

Maar er is meer, zegt Van Dam alsof hij de bekende voice-over uit het tv-programma van Peter R. de Vries imiteert. Uit de printgegevens van het mobieltje van Van der Kolk blijkt dat hij zondagavond om 21.05 uur is gebeld. Het inbellende nummer staat echter niet op naam geregistreerd. Het was zo'n prepaid-toestel en het signaal liep via een zendmast vlak bij het Palet. 'Dat kan betekenen dat de onbekende eigenaar bij Bennie op bezoek ging. Maar het wordt nog interessanter. Vanaf 21.30 uur was dat toestel volledig dood. En dan is het om 03.30 uur, maandagochtend dus, opeens weer in de lucht en bevindt het zich nabij Giethoorn. Een uur later is er één, kort, uitgaand telefoontje. Eén keer raden naar wie! Naar Hannes Haak!' Van Dam werpt een zijwaartse blik op Karin Pietersen. Luistert ze wel? Het lijkt nota bene wel alsof de officier van justitie naast hem zit in te dutten! 'Nou vraag ik jullie!' vervolgt hij met stemverheffing. 'Wat deed de eigenaar van dat prepaid-toestel in of bij het Palet? Waar was hij tot 03.30 uur? En waarom moest hij zo nodig midden in de nacht vanuit Giethoorn of omstreken naar Haak bellen?'

Karin Pietersen heeft met haar ogen dicht zitten luisteren. Als Van Dam is uitgesproken, staat ze meteen op scherp. 'Een paar dingen. Drie mannen in vermoedelijk een Duitse BMW. Niemand heeft Bennie zien zitten. Maar voor hetzelfde geld lag hij in de kofferbak of op de vloer in de auto. Jullie moesten eens weten waar ze op de Antillen een auto allemaal voor gebruiken. Seks op de motorkap, lijken in de kofferbak.'

Hier en daar wordt gegrinnikt. Seks op de motorkap. Zou de

officier uit ervaring spreken? Pietersen weet wel hoe ze zo'n zaaltje met voornamelijk mannen moet bespelen.

'En dan: wat moesten die onbekenden 's nachts bij een stadion in aanbouw? En wie was het, of wie waren het, die die toevallige passant heeft horen schreeuwen? We moeten die auto hebben. Misschien kunnen we nog sporen van Van der Kolk traceren. Vezels, haren, bloed. En we moeten bij het stadion gaan snuffelen.'

Van Dam knikt. 'Er is al een team met een geurhond op af. En we hebben ook al contact met onze collega's in Duitsland. Ze zullen naar die auto uitkijken. Wat de sporen betreft: op de sleutelbos van Joop van der Kolk, de vader van Bennie, is een gemengd profiel aangetroffen van een aantal personen. Wie waren dat?'

Karin Pietersen gooit opeens haar blonde haar los alsof het volstrekt vanzelf spreekt dat ze dat nu en hier doet, ze gaat er zelfs bij staan. 'Allerlei aanwijzingen, kortom, maar allesbehalve duidelijkheid. Hoe zou Rembrandt dat zeggen? Er staat een opzetje op het doek, maar dat is nog maar de onderschildering. Het is aan jou, Henk, en aan jullie, Rembrandt-team, om het schilderij te voltooien. Ik wil dit plaatje helder hebben.'

Van Dam knikt ernstig en als hij ziet dat de officier is uitgesproken vervolgt hij: 'Laten we niet te snel met z'n allen de tunnel in gaan. Ik wil het onderzoek breed houden. In elk geval zo breed dat die oom Ben in beeld blijft. Van der Kolk heeft nogal wat vijanden, maar hij heeft echt niet met iedereen slaande ruzie. Met die oom Ben dus wel. Dat is je reinste familievete.'

'Zijn eigen bloed!' roept een jonge rechercheur van achter uit het zaaltje.

Van Dam kijkt glimlachend op. 'Zijn eigen bloed. Wat je zegt.'

# 17

Donderdagavond is traditiegetrouw de drukste avond op het Palet. Dan komen enkele tientallen leden naar de Rhijnvis Feithlaan om in twee grote ateliers naar model te tekenen of te schilderen.

Bennie tekent nooit mee, maar Joop was tot een paar jaar geleden wel elke donderdag van de partij, vroeger altijd staand achter een ezel, in de buitenste ring om het model, de laatste jaren zittend aan een van de tekentafels die de binnenste ring vormen. Ook dat is echter al weer lang geleden. Zijn aanwezigheid op de donderdagavond blijft al tijden beperkt tot een paar uur op zijn atelier, wat klungelend met pastel aan werkjes die net als zijn taalgebruik steeds abstracter lijken te worden, en wanneer de bar na afloop volstroomt zit hij nog een poosje op zijn vaste kruk in de hoek, zodat hij gezellig aan de bar kan zitten en tegelijk tegen de muur kan leunen.

Bij de gootstenen in de gang is het aan het begin van de pauze en na afloop van de tekenavond spitsuur. Daar moeten krijt en verf van de handen worden gewassen, kwasten schoongemaakt, potjes leeggegooid. Daar beginnen de eerste gesprekjes, die aan de bar in een geweldig geroezemoes worden voortgezet.

Het aardige van het Palet is dat het ledental zo hoog is dat er elke week wel iemand jarig is, en meestal is de jarige niet te beroerd om te trakteren. Er wordt voor de jarige gezongen, en het moet raar lopen wil er niet iemand zijn die het 'Lang zal die leven' op de piano inzet.

Iedereen die er rondkijkt, zal beamen dat het Palet meer is dan zomaar een kunstenaarsvereniging. Het is, zeker op donderdagavond, wel degelijk een gezelligheidsvereniging. Er is zelfs een sociale commissie, die ervoor zorgt dat langdurig door ziekte gevelde leden gebeld worden of bezoek krijgen, of op zijn minst een kaart, ondertekend door de leden. Donderdagavond is ook de avond dat er mededelingen worden gedaan – over voornoemde zieken of andere belangwekkende zaken. De gong die bij de hoefijzervormige bar hangt, wordt geregeld geluid, een verzoek om stilte.

Op deze donderdagavond houdt Paletvoorzitter Willem Bode, een besnorde zestiger in een geblokt houthakkershemd, de hamer echter nadenkend tegen zijn wang gedrukt en laat hij het geroezemoes voortduren.

'Wat moet ik dan zeggen?' vraagt hij aan Arjen Bannink, die naast hem staat. 'Dat Bennie weg is? Bennie is er anders ook nooit op donderdagavond.'

'Nou ja, nooit. Hij is er vaak genoeg, hij tekent alleen niet mee. Maar daar gaat het niet om. Het heeft zelfs al in de krant gestaan.'

'Is dat zo?' zegt Bode. Dat berichtje was hem kennelijk ontgaan.

'Ja. Een klein berichtje, weliswaar, maar toch. En ik heb van Yvonne begrepen dat ze het prettig zou vinden als er even aandacht aan werd besteed, vanavond. Je weet nooit wat het oplevert.'

'Hm.' De voorzitter knikt nadenkend.

'Zal ik het anders doen?' vraagt Arjen. 'Ik weet er geloof ik meer van dan jij.'

'Dat is waar,' beaamt Bode, en hij geeft een harde klap tegen de gong. Het geroezemoes valt niet meteen stil, maar als hij er nog een klap tegen geeft en luidkeels 'Stilte!' roept, zakt het verenigde volume naar een aanvaardbaar niveau.

'Mensen, ik heb een beetje een rare mededeling,' begint Arjen. 'Er is iets vervelends aan de hand. Sommigen van jullie hebben het al in de krant gelezen, heb ik begrepen. Bennie van der Kolk is er niet...'

'Het is maar wat je vervelend noemt!'

Arjen vervolgt onverstoorbaar: '... en hij is er al niet sinds zondagavond. Zijn vrouw heeft aangifte gedaan bij de politie.'

Het geroezemoes begint weer. Arjen neemt de hamer over van

Willem Bode en geeft nog een klap tegen de gong.

'Het punt is: Bennie is voor het laatst gesignaleerd hier in het Paletgebouw, op zondagavond. Hij was met een portret bezig voor zijn eregalerij bij FC Zwolle, maar op een gegeven moment is hij verdwenen, en hij is dus niet weer opgedoken. De politie heeft inmiddels in zijn atelier rondgekeken, en nou schijnt zijn bloed op zijn palet te zijn aangetroffen. Het gekke is alleen: verder was er nergens ook maar een druppel bloed te vinden. Alleen op zijn palet.'

'Bloed op het palet!'

Hier en daar wordt aarzelend gelachen, een paar anderen manen om stilte.

Arjen schudt zijn hoofd als een leraar voor een rumoerige klas. 'Weet Ben daar meer van?'

Daar wordt nog iets harder om gelachen, terwijl weer enkele hoofden worden geschud.

Arjen kijkt of hij Ben in de gauwigheid kan ontwaren, maar hij ziet hem nergens. De ruzie tussen Ben en Bennie is op het Palet met gemengde gevoelens bekeken. Er zijn geregeld spanningen tussen leden, dat hoort er nou eenmaal bij, met al die eigenzinnige mensen hier, kunstenaars per slot van rekening. Gelukkig is, ondanks de intensiteit van hun conflict, de ruzie tussen de beide Van der Kolks niet erg zichtbaar. Die twee negeren elkaar, dat is genoegzaam bekend, maar zo vaak lopen ze elkaar nou ook weer niet tegen het lijf.

'Nou weet ik dat Sanne zondagavond hier was,' vervolgt Bannink, 'maar van haar heb ik inmiddels begrepen dat ze niks gemerkt heeft, en zij was waarschijnlijk al weg voordat Bennie verdween.'

'Weet je het zeker?' roept iemand. Er wordt gelachen. Bannink kijkt een beetje verstoord op.

'Maar,' vervolgt hij, 'zijn er nog andere leden die hier zondagavond geweest zijn? Dat wil met name de politie graag weten.'

Weer geroezemoes.

'Was Joop er niet?'

Gelach.

'Ja, Joop was er wel, maar jullie weten hoe het is, die weet er niks meer van. Trouwens, dat was ook eigenaardig, Joop was opgesloten in zijn atelier. Toen ik hier zondagavond kwam, zat hij in zijn atelier en was zijn deur vanbuiten op slot gedraaid. De sleutel zat er nog in.'

Het geroezemoes zwelt weer aan.

'En dan nog iets,' probeert Arjen boven het lawaai uit te komen. Het lukt niet. Hij zet zijn handen als een scheepsroeper aan zijn mond en schreeuwt: 'En dan nóg iets!!'

Het wordt weer iets stiller.

'Ik ben hier zondagavond ook geweest, maar toen was Bennie al weg. Wat ik wel heb gezien, is een auto, die heel hard door het hek naar buiten kwam rijden en rechts afsloeg, langs de kunstacademie. Een grote, donkere auto.'

'Heeft Ben ook geen grote donkere auto?'

'Ja, zo lust ik er nog wel een paar.'

'Heeft Van der Kolk zélf geen grote donkere auto?'

'Weet de rooklobby hier meer van?' Er wordt gelachen. Bennie staat bekend als fervent antiroker.

'Hij is in rook opgegaan!'

Arjen geeft nog een klap op de gong. 'Yvonne heeft me gevraagd dit hier te vertellen, maar denken jullie vooral eens na of je ook iets geks hebt opgemerkt. En of je nog iemand weet die iets gezien kan hebben, of die misschien meer kan vertellen.'

'Iets geks opgemerkt?' roept een man met een vette lach. 'Heeft de politie al aan een verdwijnperformance gedacht?'

Het is duidelijk dat de ernst van de situatie niet tot iedereen doordringt.

'Een verdwijnperformance!'

'Als ze denken dat het om een misdrijf gaat, hebben ze de verdachten hier voor het uitzoeken.'

'Hoezo dan?'

'Nou, neem me niet kwalijk, er lopen hier toch een paar mensen rond die zijn bloed wel kunnen drinken.'

'Nou, nou, zijn bloed wel kunnen drinken...'

'Misschien moeten ze eens gaan kijken of hij weer onder aan die helikopter hangt.'

'Welke helikopter?'

'Laat ze eerst maar eens gaan uitzoeken met wie Bennie allemaal bonje heeft.'

'Hebben ze nog steeds geen medicijn tegen alzheimer?'

'Dat zou voor Joop dan mooi te laat zijn.'

'Lekker, zo'n getuige.'

'Heeft-ie zijn contributie wel betaald?'

Hier en daar wordt gelachen.

'Hij is knettergek, altijd geweest,' meent weer iemand anders, 'maar zulke figuren moet je er wel bij hebben.'

Arjen hoort het allemaal aan. Als er niks zinnigs uitkomt, nou ja... dan hebben ze het in elk geval geprobeerd.

'Die eregalerij is toch ook een aanfluiting?'

'Kijk uit, je wordt helemaal groen en geel.'

'Dat zijn niet de kleuren van FC Zwolle!'

'Hij heeft altijd zijn mond vol over kunst, maar dat is toch helemaal geen kunst? Dat heeft-ie zelf gezegd!'

'Toch wel raar, van dat bloed.'

'Er zijn hier enkele mensen die het niet kunnen hebben dat Van der Kolk als een van de weinigen van zijn kunst kan leven.'

'Ja, maar dat ís toch helemaal geen kunst?'

'Gooi het maar op mijn palet.'

'Misschien hebben ze hem wel in het beton onder dat nieuwe stadion gedumpt.'

'Ha! Ga jij eens gauw een detective schrijven.'

Na de pauze wordt er nog een halfuur getekend, misschien iets minder geconcentreerd dan anders, maar toch. Om halftien is het afgelopen. Een aantal leden gaat meteen naar de bar, anderen bespreken nog even het werk dat ze gemaakt hebben, maar om kwart voor tien is het in de bar weer volle bak. Joop heeft inmiddels ook plaatsgenomen op zijn vaste plekje, Arjen heeft hem uit zijn atelier gehaald. Hij heeft zijn eerste glaasje port al bijna op.

'Ik moest de enkedirus met Jan,' zegt Joop. 'Nou, en wat gebeurde er toen?'

'Wat zeg je?' vraagt Arjen.

'Toen hebben we een hele tijd in de knienen gezeten. Ja, wat moesten we anders?'

'Wat je zegt, Joop.'

Het geklets over Bennie begint weer van voren af aan, maar nieuwe gezichtspunten levert het niet op. En van Joop hoeft er wat dat betreft ook niks verwacht te worden.

'Wat zei Bennie ook weer? Jullie mogen het best kunst noemen, wat je maakt.'

'Nou, dat was toch heel soepel.'

'Volgens mij is Joop ook een beetje vermist.'

'Ja, Joop gaat aardig de mist in.'

'Wat zeggen jullie toch een lelijke dingen. Dat had ik helemaal niet verwacht.'

'Ach, ze bedoelen het niet kwaad, hoor.'

'Ik vind het wel opvallend dat Ben er niet is.'

'*Good deduction*, Robin.'

'Vader, vergeef het hun, ze weten niet wat ze doen.'

'Ik ga er in elk geval heen als dat nieuwe stadion wordt geopend. Als Bennie een geschikt moment zoekt om weer op te duiken...'

'Er zal maar écht iets akeligs gebeurd zijn.'

'Heb je nog twee rode wijn en een port voor me?!'

Arjen wordt op zijn schouder getikt door een baardmans in een stofjas. 'Ah, Piet,' zegt hij.

'Ik ben hier ook nog geweest, zondagavond,' zegt Piet. 'Ik heb wat spullen klaargezet voor maandagmorgen, voor mijn cursisten, maar ik heb niks geks gezien. Niks gekkers dan anders.'

'Hoe laat was je hier?' vraagt Arjen.

'Tja, wat zal het zijn? Uur of negen, denk ik. Tien?'

'Stonden er toen nog auto's?'

'Nou, dat weet ik eigenlijk niet meer. Ik weet alleen dat ik Sanne in de hal tegenkwam, die ging net weg.'

'Vind je het goed als ik je naam doorgeef aan de politie? Misschien hebben die nog vragen voor je.'

'Ik vind het best. Ik hoor het wel.'

'Oké.'

'Wat hoor ik?' roept iemand tegen Piet. 'Gaat-ie je aangeven bij de politie?'

'Bijna goed,' zegt Piet. 'Jongens, ik moet ervandoor.'

'De groeten,' zegt Arjen. Hij draait zich weer om naar de bar. 'Ik geloof niet dat de politie hier veel mee opschiet,' zegt hij tegen Willem Bode, die naast hem zit.

'Nee. Daar lijkt het niet op.'

'Ik ga Joop maar eens vragen of hij naar huis wil,' zegt Arjen. 'Ik ben moe. Joop!'

Joop draait zich om zonder iets te zeggen.

'Joop, ga je mee? Dan breng ik je naar huis.'

'Morgen brengen,' zegt Joop.

'Nee, vandaag,' zegt Arjen met een lachje. 'Kom, we gaan.'

Joop draait Arjen de rug toe.

'Toe nou, Joop. Doe niet zo flauw.'

Met de gebruikelijke traagheid zet Joop zich zwijgend in beweging.

# 18

Yvonne ligt wakker. Ze heeft het bedlampje aangedaan en bladert in het boekje dat haar uitgever haar gestuurd heeft om aan Max voor te lezen. Het stomme is: ze kan zich niet eens herinneren dat ze het met hem over Joop heeft gehad, maar het moet haast wel, anders zou ze niet weten waarom hij haar uitgerekend dit boekje stuurde. Het gaat over een jongetje met een opa die zaagsel in zijn hoofd heeft. Opa is ziek.

'Heeft papa ook zaagsel in zijn hoofd?' had Max opeens gevraagd, hij al onder de dekens en zij op de rand van zijn bed.

'Papa?' Yvonne had even geaarzeld, maar op een of andere manier had ze het idee gehad dat hier een kans lag. Dat papa weg bleef, was voor Max kennelijk nog steeds niet afdoende verklaard. Hij had het er nooit over, maar Yvonne voelde zich schuldig dat zij er zelf ook niet over begon. Dat was toch eigenlijk aan haar. Maar wat moest ze dan zeggen? Je kon toch moeilijk de hele tijd volhouden dat hij 'geen bereik' had? 'Ja. Papa ook,' had ze gezegd.

Ergens was ze blij dat ze het over die boeg had gegooid, al was het nog zo'n rotsmoes. In een van de boeken over alzheimer die ze uit de kast had geplukt, en die Bennie kennelijk allemaal had aangeschaft (tot haar schaamte kon ze zich daar weinig van herinneren), had ze gelezen dat je kleinkinderen van opa's met zaagsel in hun hoofd echt niet alles hoefde uit te leggen – voor zover dat al mogelijk was. Geruststellen was belangrijker. En ze had toch het idee dat het voor Max iets geruststellends had, de wetenschap dat papa óók ziek in zijn hoofd was, en dat hij verdwaald was, maar dat hij waarschijnlijk bij mensen was die goed voor hem zorgden, en die hem meteen weer terug zouden brengen als ze eenmaal wisten wie hij was.

'Gaan ze ook foto's van papa ophangen?'

'Hoe bedoel je?'

'Zoals op het politiebureau.'

'O, zulke. Ja, ik denk het wel.'

'Want als die mensen dan die foto zien, dan weten ze wie papa is.'

'Precies. En nou lekker slapen.'

Yvonne is kennelijk in slaap gevallen, want als ze wakker schrikt, is het kwart voor twee. Het is stikdonker.

'Bennie!' hoort ze weer. 'Bennie! Waar ben je?' Joop! Yvonne schiet overeind. Zijn stem klinkt spookachtig. Een ijle, breekbare stem, bijna teder. 'Bennie!'

Yvonne gooit het dekbed van zich af en stapt uit bed. Als Max maar niet wakker wordt. Ze doet de deur open. Joop staat op de overloop.

'Joop,' zegt ze. 'Kun je niet slapen?'

Hij kijkt haar aan en dan gaat zijn blik over haar schouder, alsof hij misschien denkt dat Bennie daar is, op hun slaapkamer.

'Bennie is er niet,' zegt ze. 'Hij is eh... hij is een performance aan het voorbereiden.'

'Een performance?' zegt Joop.

'Ja.'

'Wie ben jij?' vraagt Joop dan.

'Ik ben de vrouw van Bennie,' zegt ze, maar voor ze verder iets kan zeggen begint Joop te huilen.

'O, wat ben ik daar blij om,' zegt Joop. 'Ik wist het niet meer.'

Vertederd slaat Yvonne een arm om zijn schouder. 'Nou, dan weet je het nu toch weer?'

'Ja,' huilt Joop. De tranen biggelen over zijn ingevallen wangen.

'Kom, zal ik je weer naar bed brengen,' zegt Yvonne.

'Ja, hoor,' zegt Joop. Hij laat zich gewillig en nog wat nasnikkend meenemen naar zijn slaapkamer. 'Daar ben ik zo blij om.'

Het is een lange weg. Joop loopt voetje voor voetje. Zijn slaapkamer is schemerdonker. Hij gaat op de rand van het bed zitten.

Yvonne moet onwillekeurig aan Rembrandt denken. Wie beeldt hij uit? Job? Of Jeremia? Geen vrolijke Frans in elk geval. De vader van de verloren zoon?

'Zo,' zegt Yvonne. 'Ga nou maar lekker liggen.'

'Ja,' zegt Joop. 'Dank je wel, hoor.' Hij gaat liggen en laat zich door Yvonne instoppen. Weer welt er een traan in hem op. 'Ik ben zo blij,' zegt hij. Hij pakt haar hand stevig beet.

Even is Yvonne bang dat hij niet meer los zal laten, maar dan verslapt zijn greep. Ze aait hem een keer over zijn wang en loopt naar de deur. 'Lekker slapen,' zegt ze vanuit de deuropening.

'Bedankt, hoor, Marijke,' zegt Joop vanuit zijn bed.

# 19

Zonlicht valt in spetters op de keitjes van het wegdek.

'Je hebt hem toch wel gebeld, hè?' zegt brigadier Brugmans als hij een bocht neemt en weer een eindeloze laan inrijdt. 'Dat we niet helemaal voor niks rijden.'

Aan weerskanten van de smalle weg staan bomen, genoeg voor wat schaduw, maar ook weer niet zoveel dat het landschap erachter aan het oog wordt onttrokken. Dat landschap bestaat, ondanks de waterrijke omgeving, voornamelijk uit weilanden.

'Ja, hoor,' zegt Lateur, de hoofdagent met wie Brugmans een beproefd koppel vormt. 'Hij weet ervan.' Lateur, een dertiger met een blonde kuif, kijkt vergenoegd uit het raampje. Hij is hier als kind meer dan eens op vakantie geweest.

'Dan is het goed,' bromt Brugmans, een gezette veertiger, kalend en met een keurig getrimd baardje. Hij trapt het gaspedaal diep in. Voor zijn gevoel rijden ze steeds verder de wildernis in.

'Volgens mij moeten we straks naar links en dan moet het daar ergens wezen,' zegt Lateur.

Even later rijden ze het erf van een kapitale boerderij op. De oprit is indrukwekkend: een opengeschoven hekwerk met aan weerskanten fraai gemetselde muren en verdekt in het groen een bewakingscamera.

'Zo, zo,' mompelt Brugmans half bewonderend, half wantrouwend.

'Ja, meneer, aan geld geen gebrek in Giethoorn.'

'Dat lijkt erop, ja. Zo'n optrekje kun je echt niet betalen van een paar fanfarefilmpjes van bruiloften en partijen. Het is Bert Haanstra niet.'

Ze stappen uit en kijken met gemengde gevoelens naar het

wagenpark dat ze daar aantreffen. Is al dat drugsgeld nou echt zo moeilijk traceerbaar? Die auto's spreken toch duidelijke taal? Een glimmend zwarte Jeep Grand Cherokee staat op de oprijlaan. Voor de immense imitatiehooischuur staan een Porsche Cayenne en een Golfje. Alleen op die laatste auto prijkt de bedrijfsnaam van Frank Wellink. Het logo bestaat uit een camera op statief, met daaromheen, als grillige klimop, een paar filmrollen. Op afstand hebben ze meer weg van patroongordels.

'Niet gek, hè,' zegt Lateur, alsof de bron van al die inkomsten hem even niet kan boeien.

'Je zegt het alsof je het eigenhandig verdiend hebt,' wijst Brugmans Lateur terecht.

De boerderij zelf mag er ook zijn. Hij ligt fraai verscholen aan een zijtak van de Boven Wijde. Van de hordes toeristen die Giethoorn dagelijks overspoelen is hier weinig te merken. Hier heerst rust.

Brugmans loopt naar de deur en belt aan. Een gebruinde man met een openhangend overhemd doet open. Zijn kale schedel glimt. In zijn linkeroor prijkt een gouden ringetje. Een zwarte snor kruipt aan de ene kant langs zijn mond omhoog en aan de andere kant weer naar beneden. Het lijkt wel een plaksnor, maar schijn bedriegt.

'Ah, mijn beste vriend.' Als Brugmans hem vragend aankijkt, zegt de man, die niemand anders dan Frank Wellink kan zijn: 'U bent toch van de politie?'

'O, ja, natuurlijk. Ik dacht even dat u mij voor Bennie van der Kolk aanzag.' Nu is het Franks beurt om vragend te kijken.

'Bennie van der Kolk was toch uw beste vriend?'

'Was, ja. Dat hebt u goed begrepen. Maar komt u binnen, al komt u niet zo heel gelegen.' Het klinkt een beetje ironisch.

'Druk, druk, druk?' zegt Brugmans.

'Dit is geen vakantiewoning, als u dat soms dacht.'

'We zullen het kort houden,' belooft Brugmans, terwijl Frank hen voorgaat naar een indrukwekkende woonkamer.

'Graag,' zegt Frank. Binnen aangekomen stellen beide rechercheurs zich voor. Dan wijst Frank naar een bank, waar ze zich in weg laten zakken. Pal tegenover hen, achter een enorm raam, ontvouwt zich het landschap waarvoor de toeristen naar deze contreien komen: water, water, en nog eens water, omlijst door groen en bezaaid met bootjes, en boven dat alles een bleekblauwe lucht. Aan een van de muren hangt een indrukwekkend plasmascherm en in de hoek ontwaren ze een monitor waarop het hek te zien is waardoor ze zonet naar binnen zijn gereden.

Frank heeft zich schuin tegenover hen in een grote leren fauteuil laten zakken en kijkt toe terwijl de mannen hun ogen de kost geven. Lateur draait zich helemaal om op de bank en monstert het kookeiland achter hen, een culinair geheel waar Sjakie Visser zijn vingers bij zou aflikken.

'Niks voor u, heren, de audiovisuele business?' vraagt Frank als het hem lang genoeg geduurd heeft.

'Ja. Misschien niet eens zo'n gek idee, wat jij, Lateur?' zegt Brugmans. 'Brugmans en Lateur, uw leven in beeld.'

Lateur moet lachen. 'Je kunt altijd nog in de reclame gaan, Brugmans.'

'Ik heb me in elk geval nooit gerealiseerd dat de audiovisuele business zo lucratief is,' richt Brugmans zich weer fijntjes tot Frank.

'Ach ja,' zegt Frank. 'Kwestie van bloed, zweet en talent, hè? Maar ik neem aan dat u hier niet bent voor een open sollicitatie?'

'Nee, wij zijn hier in het kader van een politieonderzoek, naar de verdwijning van Bennie van der Kolk, u welbekend.'

'Verdwijning?' herhaalt Frank. Hij trekt een wenkbrauw op.

'Ja,' zegt Brugmans. 'Bennie van der Kolk is zondagavond spoorloos uit zijn atelier verdwenen en heeft sindsdien niks meer van zich laten horen.'

'En dat is voor de politie reden om hem te gaan zoeken?'

'Zijn vrouw heeft aangifte gedaan.'

'O?' Frank kijkt Brugmans vragend aan. 'Dus het is geen performance, om maar eens een voor de hand liggende mogelijkheid te noemen?'

'Daar lijkt het niet op, nee.'

'Maar u denkt toch niet dat hij hier is?'

'Nee, dat denken we niet, nee, al willen we niks uitsluiten. U bent geen verdachte, maar we hopen dat u ons kunt helpen.'

'Nou, dat weet ik niet,' zegt Frank kortaf. 'Ik vind het akelig voor zijn vrouw, maar zoals jullie misschien weten heb ik al een tijdje geen contact meer met Bennie. Dus het lijkt mij dat u bij mij aan het verkeerde adres bent.'

'We willen alleen een paar dingen weten. Zo simpel is het. Ik stel voor dat wij beginnen. Dan moet u maar zien of u wilt antwoorden.'

Frank reageert niet.

'Zullen we maar beginnen?'

Frank blijft zwijgen.

'Kent u Bennie?'

Frank trekt weer een wenkbrauw op, maar voor hij iets kan zeggen vervolgt Brugmans: 'Wanneer hebt u hem voor het laatst gezien?'

'Dat is al weer een tijdje geleden.'

'Misschien is uw kortetermijngeheugen iets beter. Waar was u afgelopen zondagavond, rond negen uur?'

Stilte.

'En zo ja, kan iemand dat bevestigen?'

Frank kijkt Brugmans bevreemd aan, maar zegt nog steeds niks.

'Hebt u een mobiele telefoon?' vraagt Brugmans.

Stilte. Toch ook weer niet zo'n moeilijke vraag, anders.

'Zo ja, wat is uw nummer, en bij welke provider zit u?'

Stilte.

'Waar was u in de nacht van zondag op maandag?'

De stilte van het platteland.

'Hebt u toen nog gebeld?'

Frank kijkt naar buiten.

'Kent u Hannes Haak, de projectontwikkelaar?'

Stilte.

'Hebt u enig idee waar hij is?'

Frank knippert af en toe met zijn ogen en schuift wat in zijn lamsleren stoel heen en weer alsof hij jeuk heeft, maar hij zegt geen woord meer. Hij lijkt met stomheid geslagen over zoveel nieuwsgierigheid.

'Nogmaals: u bent geen verdachte.'

'Heel fijn,' zegt Frank opeens.

'Maar daar kan verandering in komen.'

Frank staat kordaat op. 'Heren, ik ben blij dat u uw werk zo serieus neemt. Dat doe ik ook, en daarom moet ik u verzoeken mij niet langer van mijn werk te houden. Ik hoop dat u Bennie snel weet op te sporen, want onze vriendschap heeft altijd veel voor me betekend. Verder zou ik hier graag buiten worden gelaten. Wilt u nu zo vriendelijk zijn mijn woning te verlaten?'

'Waarom bent u eigenlijk geen vrienden meer?' vraagt Brugmans, die ook is gaan staan.

'Ik kan u verzekeren dat dat niks met deze zaak te maken heeft,' zegt Frank.

'Is dat zo?' zegt Brugmans.

Frank wijst hen de deur. 'Heren. Alstublieft.'

Brugmans knikt naar Lateur en loopt naar de gang.

'Als ik iets van hem hoor, neem ik contact op,' zegt Frank opeens.

Brugmans blijft staan en Lateur volgt zijn voorbeeld. 'Verwacht u dat dan?'

'Nou,' zegt Frank. 'Ik had de laatste tijd geregeld de aanvechting weer eens contact op te nemen, en ik verwachtte van hem eigenlijk hetzelfde.'

'Was u zo close dan?'

'We waren vrienden voor het leven,' zegt Frank.

# 20

'Heb je genoeg gehad?' vraagt Yvonne aan Max.

Max knikt.

Ze pakt zijn bord en beker van het tafeltje en loopt ermee naar de keuken. Op het bord ligt nog een korst brood, maar ze heeft geen zin die strijd nu aan te gaan. Hij heeft nog jaren de tijd om korsten te leren eten.

Bij het aanrecht staat Joop. Yvonne zet het bord en de beker van Max op het aanrecht en ziet vanuit haar ooghoek het mes waarmee Joop in de weer is. Ze schrikt. 'Maar Joop...'

Hij lijkt haar niet te horen. Hij mompelt wat voor zich uit. 'Je moet heel simpel...'

Ze blijft staan kijken. Hij heeft boter aan het mes en probeert met het enorme lemmet een boterham te smeren. 'Maar dat is een vleesmes,' zegt ze dan. Dat mes is vlijmscherp, dat gaat door rauw vlees alsof het boter is.

Joop blijft doorgaan, al heeft ze het idee dat hij haar wel hoort. Ze kijkt nog eens. Is dat een traan die over zijn wang rolt? Yvonne kijkt om zich heen. Bennie! Was Bennie maar hier. Die had zijn vader wel zo kunnen aanspreken dat hij dat enge mes tenminste weglegde en met een gewoon boterhammes zijn werkje vervolgde. Een wanhopig gevoel maakt zich van haar meester en ze blijft als verlamd naar het mes staan kijken.

'Wat wou jij, hè?' zegt Joop opeens, en het enorme mes maakt een zwieper in haar richting.

Zonder het te willen slaakt Yvonne een kreet.

Zijn ogen zijn rood. Heeft hij inderdaad gehuild?

'Jij wilt me weg hebben, hè?'

Yvonne kreunt zachtjes. Dat is geen wartaal, schiet het door haar heen.

'Ik weet heus wel wat jij van plan bent.' Het lijkt wel of hij merkt dat ze bang is, en of dat hem op de een of andere manier prikkelt. 'Ik zal je afraken.'

Yvonne moet opeens aan Max denken. Als die het nou maar niet net nu in zijn hoofd haalt om binnen te komen. Ze kijkt naar de deur. Ze moet iets zeggen. Ze moet Joop zover zien te krijgen dat hij dat mes neerlegt.

'Wat... wat wil je op je brood?'

'Wil je mij op brood? Net als Bennie?'

'Nee, natuurlijk niet!'

'Nee, natuurlijk niet,' papegaait hij.

'Maar...' Als hij niet met dat mes stond, zou ze misschien wel bijna gelachen hebben.

'Jij wilt me weg hebben,' zegt hij weer.

'Ik wil je helemaal niet weg hebben.'

'Nou lieg je, dame.'

Hij heeft nog gelijk ook, denkt Yvonne. Hij heeft gelijk. Dit kan zo niet langer. Niet in één huis. Niet zonder Bennie erbij. 'Waarom zou ik liegen?'

'Slang,' sist Joop. Hij maakt een stekende beweging in haar richting.

Yvonne kan een gil maar net onderdrukken en deinst achteruit. 'Doe niet zo eng, man!'

Joop begint opeens te lachen. 'Je bent bang, hè?' Hij laat het mes zakken. 'Dat hoeft niet, hoor.' Hij kijkt naar het mes.

'Dat is heel scherp, hoor,' zegt Yvonne voorzichtig. 'Dat mes.'

'Ja, die is ook aardig stug, hè,' zegt Joop. Hij leunt met de hand waarmee hij het mes vasthoudt op het ouderwetse granieten aanrecht.

'Wil je misschien salami op brood?' zegt Yvonne opeens. Die salami is al in plakjes gesneden, daar heeft hij dat mes niet bij nodig.

'Salami, salami,' zegt Joop wezenloos.

'Ja. Lekker,' zegt Yvonne.

'Ja. Lekker.'

'Zal ik het voor je doen?' zegt Yvonne.

Joop giechelt.

'Ga jij maar lekker zitten, dan zal ik salami op je broodje doen.'

'Op je broodje, op je blootje,' zegt Joop. Met het mes in zijn hand loopt hij naar de keukentafel, die daar staat waar bij mensen met meer financiële armslag en culinaire geldingsdrang een kookeiland zou staan. Hij legt het mes op de tafel zonder er verder acht op te slaan en gaat zitten.

Yvonne doet de koelkast open, pakt de salami en legt een paar plakjes op de boterham die Joop zojuist wat onbeholpen heeft staan smeren. Ze klapt hem dubbel. 'Zo,' zegt ze, en ze zet het bordje voor hem neer.

Joop grist het broodje van het bord.

Yvonne kijkt naar het mes. Ze durft het niet te pakken, ze wil er niet de aandacht op vestigen. Misschien vergeet hij het wel. 'Smaakt het?' vraagt ze.

'Mij wel,' zegt Joop met volle mond. Als hij naar haar lacht, ziet ze een hap in staat van ontbinding.

'Mooi.'

In een mum van tijd heeft hij het broodje op.

'Wou je er nog een?'

'Nee.'

Yvonne pakt het lege bordje. 'Wil je nog wat drinken?'

Joop reageert niet. In een opwelling pakt ze het mes, legt dat op het bordje en loopt ermee naar het aanrecht. Ze zet het bordje in de gootsteen en kijkt voorzichtig om. Joop lijkt in gedachten verzonken. Onder de warme kraan spoelt ze het mes af, ze veegt met de afwasborstel nog een restje boter weg en droogt het mes vervolgens af. Ze houdt het zo voor zich dat Joop het vanaf de keukentafel niet kan zien. Dan hangt ze de theedoek weg, en met het mes tegen haar zij geklemd loopt ze naar de gangdeur.

'Bedankt, hoor,' zegt Joop dan weer met die stem die haar anders zo kan vertederen. Ze voelt zich bijna schuldig, dat ze zo met dat mes de keuken uit schuifelt.

'Graag gedaan,' zegt ze, en dan staat ze op de gang. Ze houdt het mes in haar hand. Even voelt ze met haar duim aan de punt. Au. Ze loopt ermee de trap op naar hun slaapkamer, wikkelt er een sjaal omheen en stopt hem weg, ergens achter een stapel kleren. Mijn god, denkt ze. Ga je nou niet schuldig voelen. Het kan echt niet meer zo, met Joop. Hij kan soms klinken alsof er niks aan de hand is, maar even later slaat hij weer de grootste wartaal uit. En als hij met dit soort messen gaat jongleren. Nee, dat kan niet. Niet zonder Bennie in elk geval. Ze kijkt naar het bed, waar ze nu al bijna een week alleen slaapt. Er ligt nog een onderbroek van Bennie onder het dekbed. Ze heeft zich er nog niet toe kunnen zetten die bij de was te doen. Onder zijn kussen ligt een zakdoek, ook van Bennie. En op het nachtkastje liggen een paar boeken waar hij graag in las. Of leest, corrigeert ze zichzelf meteen. Leest. En gáát lezen.

# 21

Ben van der Kolk woont in een schilderij. Een IJssellandschap à la Jan Voerman. Zijn villa ligt iets buiten Hattem en kijkt uit over de uiterwaarden. Bij helder weer is in de verte, aan de andere kant van de IJssel, de Peperbus te zien. Vroeger dacht hij wel eens: daar woont Joop. Maar vroeger is dood. Joop bestaat nog wel, maar ook weer niet.

Joop is op zijn manier altijd een levensgenieter geweest, maar Ben is een regelrechte bon vivant. Altijd geweest. Terwijl Joop jaren als soldaat in Indië diende, was Ben op een of andere manier al snel weer terug in Nederland om met zijn motor en vlotte babbel meisjes tot in de wijde omgeving het hoofd op hol te brengen. Hij had het uiteindelijk tot commercieel directeur van een lingeriefabriek in Heerde geschopt. In een tijd dat voor het merendeel van de Nederlanders een bromfiets het hoogst haalbare was, reed Ben in een mooie Volvo. Hij ging al op wintersport toen de meeste mensen een zomers uitstapje naar Duitsland al een hele onderneming vonden.

Ondanks zijn schriele voorkomen ziet Ben er in zijn fraaie pakken altijd goed uit. Een heer van stand, zo lijkt het. Zijn eerste vrouw stamde dan ook uit een bekend Veluws juweliersgeslacht. Een zachtaardige en introverte dame die niet was opgewassen tegen de onderbroekenlol van de lingeriefabrikant. Na jarenlang 'als broer en zus' te hebben geleefd, waren ze gescheiden. Zijn vrouw had zo'n beetje al het antiek meegenomen – dat waren per slot van rekening erfstukken uit háár familie.

Binnen de kortste keren had Ben echter niet alleen een nieuwe vrouw – een volks type dat zich graag voordeed als keurige dame – maar stond het huis ook weer vol kostbaar antiek. 'Krijgertjes', noemt Ben dat steevast. Afkomstig van alleenstaande vermogende oude vrouwtjes die kleiner willen gaan wonen en niet weten waar ze met hun spullen heen moeten. Op zo'n moment is Ben nooit te beroerd een paar keer met een aanhangwagen heen en weer te rijden. Zogenaamd naar een antiquair in Zwolle, maar de mooiste stukken houdt hij stiekem zelf. Dat merkt zo'n vrouwtje toch niet.

Een vos verliest alleen zijn haren: Ben weet van geen ophouden. Het lijkt wel alsof het na zijn vervroegde pensionering alleen maar erger is geworden. Als het maar even kan vervangt hij bij zijn 'kennisjes' oud-Hollandse meesterwerken door zelfgeschilderde imitaties. Wie ziet dat nou? Die schilderijen van hem zijn toch net zo mooi? Anderen zouden hem misschien een meestervervalser noemen, maar hij ziet het anders. Wat hij doet ziet hij meer als een wisselexpositie. Of een soort permanente bruikleen.

Lange tijd was het een gouden handeltje. Die schilderijen brachten heel wat op. Van de weeromstuit werd Ben steeds stoutmoediger. Zodra hij contact had met een alleenstaande, rijke, kunstminnende dame zoog hij zich als een vampier aan haar vast. Beetje kletsen, af en toe een klusje opknappen, wat uitstapjes maken. Hij was zelfs niet te beroerd ze voor te lezen. En geloof het of niet, uiteindelijk boden al die vrouwtjes uit zichzelf aan om hun testament in zijn voordeel te wijzigen! Joosje, de vrouw van Ben, werd steevast als eerste gebeld wanneer mevrouw het leven liet. Nabestaanden troffen vervolgens een vrijwel lege inboedel aan.

Als Brugmans en Lateur komen aanrijden, zien ze de B M W van Ben van der Kolk al staan glimmen voor de dubbele garage. Van der Kolk gaat net een zijdeur binnen als ze de oprit oprijden en hun auto neerzetten. Hij komt weer naar buiten en trekt de deur achter zich dicht.

'Hé. Te koop,' zegt Brugmans voor ze uitstappen.

Bij de oprijlaan staat een houten bord met het opschrift 'Te koop', en daaronder 'Van der Kolk' en een telefoonnummer.

De mannen stappen uit en Van der Kolk komt op hen af.

'Heren,' zegt hij. Hij heeft hen verwacht. Beide agenten krijgen een hand.

'Handig, een makelaar in de familie,' zegt Brugmans.

Van der Kolk kijkt naar het bord. 'Dat is geen makelaar, dat ben ik.'

'Ah, nóg handiger.'

'Precies. Loopt u even mee?' zegt hij, en hij loopt naar de voordeur.

Door een ruime hal gaat Van der Kolk hen voor naar de woonkamer. Daar kijken Brugmans en Lateur, net als bij Wellink, eerst hun ogen uit. Brugmans is weleens in het Streekmuseum van Hattem geweest. Daar hangen nogal wat schilderijen van vader en zoon Voerman. Dit is op z'n minst een aardige dépendance, denkt hij.

In de woonkamer valt zijn blik op een enorme Nachtwacht – een metersgrote kopie, was getekend: Ben van der Kolk.

'Mijnheer Van der Kolk. Wij hebben uw verhaal over zondagavond nagetrokken bij mevrouw Roberts. Zij bevestigt dat ze u kent via het Palet en dat ze die avond met u een ritje heeft gemaakt door de omgeving.'

'Dat had ík u toch al verteld?'

'Dat is ook zo, maar we moeten zulke dingen natrekken. Zie het maar als een beroepsmatige afwijking, mijnheer Van der Kolk: elk mogelijk spoor móéten we natrekken. Mevrouw Roberts zei dat u elke zondagavond met haar gaat toeren. En dat u dan zo behulpzaam bent meteen voor haar te gaan pinnen. Zij kan haar pincode maar niet onthouden en zo'n apparaat is trouwens ook niks voor haar. Nou hoefde het die zondagavond toevallig niet, zei ze, omdat ze nog voldoende had, maar de meeste zondagen pint u, wat was het ook al weer, vijfhonderd euro? En dan geregeld door de week ook nog een paar keer van zulke bedragen. Wat móét zij met al dat geld?'

Even lijkt Ben uit zijn evenwicht gebracht. 'Dat moet u aan haar vragen. Ze betaalt mij op haar uitdrukkelijke verzoek in elk geval één euro de kilometer als onkostenvergoeding, als u het weten wilt. En je rijdt op zo'n avond al snel een kilometer of honderd. We doen meestal hetzelfde rondje. Zalk, Kampen, Genemuiden, Zwartsluis, Hasselt, soms ook wel naar Giethoorn of nog verder. Blokzijl.'

Brugmans en Lateur kijken elkaar aan. Eén euro de kilometer? Dat is ruim vijf keer zoveel als de negentien eurocent die zij mogen declareren.

'U rijdt in een donkere BMW. Bent u zondagavond nog naar het Palet geweest? Daar hebben getuigen precies zo'n auto met hoge snelheid zien wegrijden.'

'Nee, ik was daar die avond niet,' zegt hij met klem. 'Dat hebben uw collega's ook al gevraagd en dat had u ook aan mevrouw Roberts kunnen vragen. Het is u neem ik aan bekend dat Bennie voor mij niet meer bestaat, maar ik zeg u dat ik met zijn verdwijning niets te maken heb. Al hoort u mij niet zeggen dat ik zijn afwezigheid nou zo betreur.'

Bij die laatste opmerking kijkt hij de twee agenten met zijn staalblauwe ogen doordringend aan.

'Van mij hoeft hij nooit meer terug te komen. En als u me nou verder met rust zou willen laten, ik heb nog wel wat anders te doen.'

# 22

Bennie, jongen, wat zou jij in mijn geval doen, denkt Yvonne. Joop scharrelt ergens in huis rond. Max is in de kamer. Moet ik nou voortaan bang zijn voor Joop? Moet ik Max uit zijn buurt houden? Moet ik zelf uit zijn buurt blijven? Is het overdreven om daar zo over in te zitten?

Dat mes. Misschien was er wel niks aan de hand, maar ze heeft vaak genoeg gehoord dat alzheimerpatiënten onberekenbaar kunnen worden.

Natuurlijk ben ik bang! Of, liever gezegd, heel erg bezorgd. Maar moet ik me daardoor laten leiden?

Yvonne pakt haar agenda en toetst het nummer van haar huisarts in.

'Met de assistente van dokter De Wit.'

'Ja, u spreekt met Yvonne Tromp. Kan ik dokter De Wit zelf even spreken, het is zeer dringend.'

'Ogenblikje.'

Yvonne wordt in de wacht gezet, en niet veel later heeft ze De Wit aan de lijn.

Wat weet hij eigenlijk over Bennie, schiet het opeens door haar heen. Even weet ze niet wat ze moet zeggen. Gelukkig was toen ze een relatie kregen gebleken dat ze dezelfde huisarts hadden. Ze hadden elkaar bij wijze van spreken in de wachtkamer kunnen ontmoeten. Alhoewel, Bennie was voor zover zij wist de laatste jaren nooit naar de dokter geweest.

'Gaat het over je man?' vraagt De Wit als het stil blijft.

'Nee,' zegt Yvonne verbouwereerd.

'Ik ben gebeld door de politie,' zegt De Wit geruststellend. 'Ik weet ervan.'

'Ah, oké. Maar ik bel eigenlijk over zijn vader.'

'Van der Kolk senior.'

'Ja.'

'Gaat het niet meer?'

Weer is Yvonne verbouwereerd. De Wit slaat de spijker wel héél erg op zijn kop. 'Nou, nee. Eigenlijk niet.'

'Dat is heel begrijpelijk, hoor, onder de gegeven omstandigheden. Maakt hij het erg lastig voor je?'

Yvonne begint opeens te huilen. 'Ja,' zegt ze met verstikte stem. Dan vermant ze zich. 'Ja, wel een beetje. Ik weet het niet, ik denk eigenlijk dat het zo niet langer kan. Zonder Bennie.'

'Wat zouden we daaraan kunnen doen?'

'Nou ja, ik wil graag weten hoe het nou zit met die wachtlijst, waar mijn schoonvader op staat.'

'Tja.'

'Of nee,' herstelt Yvonne zich. Ze begrijpt dat ze eerlijker moet zijn. 'Het punt is eigenlijk dat ik bang voor hem ben. Zeker met mijn zoontje erbij. Hij stond vanochtend in de keuken met een gigantisch vleesmes te zwaaien, en dat heb ik nu verstopt, maar toch.'

'Dat klinkt beangstigend.'

'Dat was het ook. Het komt er eigenlijk op neer... het is vreselijk, ik vind het echt heel akelig, maar ik vraag me af of het geen tijd wordt voor een opname, eventueel met spoed.'

'Ik begrijp dat je het akelig vindt, maar je hoeft je er niet voor te schamen, hoor, en het lijkt me ook niet nodig dat je je schuldig voelt.'

'Nee, nou ja, dat doe ik natuurlijk wel. Maar ook weer niet. Het is zo akelig dat het nodig is. Ik vind het zo lullig tegenover Bennie.'

'Ja, dat snap ik. Maar we moeten reëel zijn. Bennie is er niet, en als ik het goed begrijp is het ook totaal onduidelijk wanneer hij weer boven water komt. En intussen sta jij er alleen voor.'

Weer krijgt Yvonne het even te kwaad. Ze snikt, maar voelt gelijk ook dankbaarheid dat De Wit zoveel begrip heeft voor haar situatie.

'Weet je wat?' vervolgt hij. 'Ik stel het volgende voor. Ik bel nu meteen de arts van verpleeghuis de Meent, Swierstra. Als ik jou zo hoor, zouden we via de rechter waarschijnlijk ook wel een spoedopname kunnen regelen, maar hoe korter de lijnen hoe beter.'

Yvonne snuift. 'Als u dat zou willen doen.'

'Natuurlijk. Al moet ik er wel bij zeggen dat ik liever had gehad dat het maandagmorgen was, in plaats van vrijdagmiddag. Maar ik doe mijn best en ik bel straks in elk geval even terug.'

'Bedankt,' zegt Yvonne nog. Als ze de telefoon heeft weggelegd begint ze voor de derde keer te huilen. Ze houdt haar handen voor haar gezicht en merkt pas dat Max bij haar staat, als ze zijn handje op haar knie voelt.

'Mama.'

Ze haalt haar handen voor haar gezicht weg en droogt haar tranen.

'Heb je au?'

'Nee...' Ze trekt Max tegen zich aan. 'Nou ja, een beetje.' Max nestelt zich tegen haar aan. Meteen begint ze onbedaarlijk te huilen. Ze drukt Max nog dichter tegen zich aan. Hij zegt gelukkig niks. Dan gaat de telefoon.

Ze veegt haar tranen weer af, snuit met één hand haar neus terwijl ze met de andere hand Max tegen zich aangedrukt houdt, en pakt de telefoon.

'Met Yvonne.'

'Ja, nog even met De Wit. Ik heb Swierstra gebeld en de zaak uitgelegd, je schoonvader kan maandagmorgen worden opgenomen.'

'O.' Yvonne kan verder geen woord uitbrengen. Voor de zoveelste keer wellen er tranen in haar ogen op. 'Bedankt,' zegt ze dan, weer met die verstikte stem.

De Wit is even stil, dan vraagt hij: 'Gaat het? Lukt dat nog, dit weekend?'

Yvonne snuift. 'Ja, dat zal wel lukken.'

'Goed,' zegt De Wit. 'En gaat het niet, bel dan. Ik zal je mijn mobiele nummer geven. Dat lijkt me in dit geval beter. Heb je pen en papier bij de hand?'

'Ogenblikje,' zegt Yvonne, en ze schuift Max van haar schoot. 'Ik moet even wat opschrijven,' zegt ze tegen hem.

Even later heeft ze het nummer genoteerd en de telefoon weer neergelegd. In haar binnenste schreeuwen allerlei emoties door elkaar heen. Een daarvan is weer die vermaledijde angst. Hoe moet ze dit tegen Joop zeggen? Maar dan kijkt ze naar het mobiele nummer op het briefje. Als het moet, bel ik De Wit. Ze kijkt naar Max. Nee, ik zeg het ook nog niet tegen hem. Stel je voor, dat hij er iets over zegt tegen Joop. Ze trekt hem weer tegen zich aan en zo blijven ze samen zitten.

# 23

Hidde loopt ongedurig heen en weer tussen zijn werkkamer boven en de woonkamer beneden. Je mag je haar wel eens wassen, denkt hij als hij zichzelf in de spiegel ziet. Voor de gelegenheid draagt hij een oud joggingpak: zijn favoriete schrijfkloffie. Desondanks kan hij zich niet concentreren. Eerst nog maar eens koffie zetten.

Voor een pagina in de zaterdagbijlage over een moordzaak of een opgerolde drugsbende heeft hij normaal gesproken vijf uur nodig. Niet meer en niet minder. Maar een reportage over de verdwijning van Bennie, dat is een ander verhaal. Hij kent Bennie al jaren. En Yvonne! Opnieuw dwalen zijn gedachten af.

Toen Yvonne wat met Bennie kreeg, was Inge al weg. Hun zoontje Joris was al dood en gecremeerd. Inge was met meeneming van de urn naar Londen verhuisd. Voor Hidde waren er alleen nog wat losse foto's. Inge heeft inmiddels alweer een hele tijd een Amerikaanse vriend. Ze werkt op de Nederlandse ambassade, en daar schijnt ze het heel goed te doen, zoals hij van oude, wederzijdse vrienden te horen krijgt. Toen ze nog samen waren, verweet Inge hem regelmatig dat zij thuis al het werk moest doen, omdat hij alle tijd voor zijn eigen werk opeiste. En toen Joris er niet meer was... Hij schudt zijn hoofd. Hoe doet Bennie dat eigenlijk? Nou, nu niet goed in elk geval, denkt hij grimmig. Yvonne staat er alleen voor. Kom op. Tikken. De deadline is 22.00 uur. Anders kan het niet eens meer mee. En heel Zwolle wil zo langzamerhand weten hoe het zit: waar is Bennie van der Kolk?

Het lijkt wel alsof Hidde sinds een paar dagen in een roes leeft. De vermissing van Bennie, opspelende gevoelens voor Yvonne, zijn vermoedens over de dubieuze financiering van het nieuwe stadion, de rol daarin van Hannes Haak, diens relatie met Frank. Die weer bevriend is met Bennie. Zijn hoofd loopt over.

Maar het komt er allemaal nog niet uit. Hidde is de meester van de uitvlucht. Juist als er volop werk aan de winkel is, heeft hij de neiging te ontspannen. Een uurtje fietsen om zijn conditie op peil te houden. Een paar mensen bellen. Een boek uitlezen.

Zijn rommelige arbeidershuisje in Assendorp oogt als een ouderwetse boekwinkel. Overal boeken. Kasten vol. Op de grond stapels boeken en tijdschriften. Typisch het huishouden van een man alleen.

Net als zijn vader leest Hidde graag Engelse boeken. Die passie is begonnen toen hij als kind geregeld vol bewondering naar het Tomado-rekje in de studeerkamer van zijn vader keek. Had hij dat allemaal gelezen? Wanneer dan? Drie hele planken! De Penguin-pockets van schrijvers als Ernest Hemingway, John Steinbeck, George Orwell en Nevil Shute stonden vol onderstreepte woorden. In de kantlijn had zijn vader de Nederlandse betekenis geschreven. Met pen nog wel.

Toen hij in Groningen ging studeren, had Hidde het werk van schrijvers als Jerzy Kosinski en Philip Roth ontdekt, maar hij las ook graag boeken van Charles Dickens en Wilkie Collins.

Pas later ontdekte hij het genre van de 'true crime'. Biografieen van bekende criminelen, profielen van seriemoordenaars. Dat werk. Een van zijn lievelingsboeken was In Cold Blood van Truman Capote. Een prachtig geschreven reconstructie van een viervoudige moord op het Amerikaanse platteland.

Als hij in de binnenstad is, loopt Hidde meestal wel even binnen bij een boekhandel. Even kijken of er iets van zijn gading bij is. Op zaterdagmiddag horen die expedities tot zijn vaste ritueel. Eerst een bakje kibbeling bij Van Raalte aan het eind van de markt, bij warm weer een paar vaasjes op een van de terrasjes, en anders hangend aan de bar, en daarna op boekenjacht. Vaak neemt hij dan ook nog een krant mee, hoewel hij er thuis dagelijks drie in de bus krijgt.

Afgelopen zaterdag heeft hij een net verschenen boek gekocht van Kate Summerscale: The Suspicions of Mr Whicher or the Murder at

*Road Hill House*. Een Dickens-achtig boek over een kindermoord in een landhuis in 1860. Het is een indrukwekkend boek, een thriller, historische roman en biografie ineen én een verhandeling over het vak van de detective.

Al lezend in Summerscale heeft Hidde allerlei ideeën gekregen voor het verhaal over de verdwijning van Bennie. Natuurlijk is dat vluchtgedrag, maar het levert ook inspiratie op. Net toen hij zich afvroeg wat Joop op het Palet had gezien en, belangrijker, wat hij zich daarvan zou weten te herinneren, was Hidde bij een interessante passage in Summerscale aangekomen.

In één van de kranten die aandacht besteedden aan de moordzaak, de *Bristol Daily Post*, stond op 19 juli 1860 een ingezonden brief van een man die meende 'dat analyse van de ogen van het slachtoffer een beeld van de moordenaar zou kunnen onthullen'. De briefschrijver baseerde zijn suggestie op enkele twijfelachtige experimenten die in 1857 in de Verenigde Staten waren gedaan. 'Het beeld van het voorwerp dat het laatst gezien is, blijft als het ware als een afdruk op het netvlies staan,' legde hij uit, 'en kan na de dood worden overgetekend.' Volgens die hypothese was het oog een soort daguerreotype-plaat, die indrukken registreerde die als een foto in een donkere kamer konden worden 'ontwikkeld'. Zelfs de geheimen in de ogen van een gestorvene kwamen zo aan het licht. De manier waarop het oog tot een symbool van waarneming en ontdekking was geworden werd tot in het extreme doorgetrokken: het oog was niet alleen 'de grote waarnemer', maar ook 'de grote verrader, het zintuig dat alles prijsgaf'.

Dat was nog eens wat je noemt een eyeopener! Maar dat was in de negentiende eeuw, de eeuw van de onbegrensde mogelijkheden. Hoe ver was de wetenschap bijna anderhalve eeuw na de moord in Road Hill House eigenlijk gevorderd? Zou een specialist een onthullende hersenscan kunnen maken? Zou je de gedachten van Joop op de een of andere manier kunnen lezen? Laatst had er in het NRC nog een aardig stuk over dat soort hersenscans gestaan: in plaats van het netvlies waren het nu de hersenen die de gewenste informatie moesten prijsgeven – maar het principe was hetzelfde. Zou het zin hebben een alzheimerpatiënt onder hypnose te horen? In hoeverre was het geheugen van iemand met die ziekte nog betrouwbaar te noemen?

Hidde pijnigt zijn hersens. Waar is Bennie in godsnaam gebleven?! Is het korps IJsselland wel in staat deze zaak op te lossen? Natuurlijk, Henk van Dam is niet de minste. En wat een aardige bijkomstigheid is: Hidde is in de loop der jaren goed met hem bevriend geraakt. Ze zijn een keer samen met een officier van justitie, een paar rechercheurs en een legertje advocaten naar Turkije gereisd voor het horen van getuigen in een grote drugszaak, en hebben daar fantastische avonturen beleefd. Sinds die reis bellen en zien ze elkaar geregeld.

Maar hoeveel ervaring Van Dam ook heeft, kan de politie überhaupt elke misdaad oplossen? Of, nou ja, elke misdaad – laten we het even bij deze vermissing houden, denkt Hidde. Er zal toch iemand iets gezien hebben en meer van deze zaak af weten? Het is echter maar de vraag of diegene zich vrijwillig meldt. Niet voor niets citeerde Summerscale de oude meester Poe: 'Er zijn geheimen die zichzelf niet toestaan te worden verteld, mysteries die *geen onthulling dulden*. Nu en dan, helaas, neemt het geweten van een mens zo'n zware gruwellast op zich, dat hij pas in het graf kan worden afgeworpen.'

Vaak ligt de dader op het kerkhof, maar waar is Bennie? Die is nog veel te jong om ergens begraven te liggen. Even moet hij grinniken. Bennie zou zelfs van zijn uitvaart een happening maken. En zijn graf zou een kunstwerk op zich zijn. Geen rechthoekig stuk beton. Maar dan moest er wel iets te begraven zijn.

Als in trance leest Hidde The Suspicions of Mr Whicher uit. Na een gedegen onderzoek en slimme deductie was Jack Whicher, een van de eerste speurneuzen van Scotland Yard, ervan overtuigd dat de moord op de kleine Saville Kent was gepleegd door diens oudere zus Constance. Maar die ontkende in alle toonaarden en kwam snel weer op vrije voeten.

Vijf jaar later legde Constance, inmiddels non geworden, onverwacht toch een bekentenis af. Voor de moord op haar broertje kreeg ze levenslang. In de praktijk betekende dat twintig jaar. Enfin. Genoeg gemijmerd. Aan de slag!

Maar eerst nog even Van Dam bellen. Wellicht dat die nog een aardig gezichtspunt heeft.

'Henk, met Hidde. Hoe is 't? Hoe staat het met de zaak Van der Kolk?'

Off the record praat Van Dam hem bij. Het team heeft verdenkingen tegen oom Ben, zegt hij, maar vooral tegen Haak.

'Bennie is de avond of nacht van zijn vermissing mogelijk nog bij het nieuwe stadion geweest. Die B M W die eerder bij het Palet wegracete, is daar waarschijnlijk nog gezien. En een passant heeft geschreeuw gehoord. De geurhonden sloegen voor en in het stadion wel aan, maar Bennie lijkt in mist te zijn opgelost. We weten inmiddels dat er die nacht veel beton is gestort. Ze hadden kennelijk nogal wat moeite om op schema te blijven, dus er is hard gewerkt, tot in dat weekend, waarschijnlijk tot zondagavond laat. Maar dat beton is al lang uitgehard. We hebben overwogen de boel open te laten breken om te kijken of hij daar niet toevallig onder ligt, maar eer je daar toestemming voor krijgt, moet je wel betonharde aanwijzingen hebben. En die hebben we domweg niet. Dan riskeer je alleen maar een torenhoge claim, en dat is wel het laatste wat ik Haak gun. Karin Pietersen wilde aanvankelijk wel, maar durfde het uiteindelijk niet aan. Terwijl ze toch heel erg op deze zaak gebrand is.'

Van Dam is nooit te beroerd wat achtergrondinformatie te geven. Aandacht van de media houdt een zaak levend, is zijn idee, en het kan reacties opleveren. Van mensen die nu pas beseffen dat wat ze gezien of gehoord hebben, relevant kan zijn voor het onderzoek.

'Een beetje ruis op de lijn kan geen kwaad,' zegt Van Dam. 'Mail je verhaal even als je het af hebt. Dan loop ik er ook snel doorheen.'

Hidde maakt aantekeningen. 'Oké, Henk, hou me op de hoogte!'

Vervolgens belt hij zijn oude studievriendin Nina Bulk, onze ambassadeur in Kroatië. Hij heeft haar nog niet zo lang geleden op een reünie gezien en het klikte nog altijd. Als hij haar eindelijk aan de lijn heeft, valt hij met de deur in huis.

'Luister, Nien! Jij komt toch uit Zwolle? Dan ken je Bennie van der Kolk vast ook wel. De kunstenaar, je weet wel. Nou, die is dus al een paar dagen onder duistere omstandigheden vermist, en nou denkt de politie dat Hannes Haak, een Zwolse vastgoed-handelaar, er misschien meer van weet. En Haak zit momen-teel toevallig in Kroatië. Kun jij laten uitzoeken wat hij daar uit-spookt?'

Nina belooft haar best te doen. 'Je hoort zo snel mogelijk van me. Groet Swol van me!'

Twee uur later, hij zit druk te tikken, krijgt hij een mailtje van Nina. Haak investeert in een project aan de kust. Een paar hon-derd bungalows van anderhalve ton per stuk. De mooiste houdt hij voor zichzelf. 'Mijn mensen zoeken uit hoe het met de finan-ciering zit. Ik kan helaas nog niet bevestigen dat het om een wit-wasproject gaat. Noem mijn naam niet! Kus.'

Waar is die Haak mee bezig? Er gaan al langer geruchten dat hij zwart geld investeert voor criminelen. In totaal zou het om vele miljoenen gaan. En volgens het roddelcircuit fungeert het nieuwe stadion wel degelijk als witwasconstructie...

Hidde voelt dat hij op het goede spoor zit. Het is geen toeval dat Frank een van de grootste sponsors is. Wat voor contact heeft hij eigenlijk met Haak? Wat zou Joop bedoeld hebben met zijn opmerking over Frank? Zoals altijd weet Hidde meer dan hij kan opschrijven. Hij moet voorzichtig zijn. Voor je het weet sleept Haak hem voor de rechter en stelt diens advocaat hem persoon-lijk aansprakelijk. Die proleet laat zo beslag leggen op je huis én je salaris! En bij het *Zwolsch Dagblad* zitten ze ook niet op een pro-ces te wachten.

Precies om 22.00 uur stuurt Hidde zijn verhaal door naar de eind-redactie. Daarna mailt hij het naar Van Dam.

Hij barst inmiddels van de honger. Maar eerst wil hij Yvonnes stem nog even horen.

'Hoi, met Hidde. Mijn verhaal over Bennie is klaar. Wil je het nog voor publicatie lezen?'

Tot zijn verrassing vraagt Yvonne of hij zin heeft in een borrel.

'Max slaapt. En Joop ook. Sms maar even als je voor de deur staat, anders worden ze wakker van de bel.'

In één klap valt zijn vermoeidheid van hem af.

Even later zit Hidde tegenover Yvonne. Hij laat haar rustig lezen. Als ze het laatste velletje heeft weggelegd, kijkt ze Hidde aan en valt hem snikkend in de armen. Hij laat haar even uithuilen en neemt dan haar gezicht in zijn handen. Ze kijken elkaar aan.

'God, Hidde. Wat moet ik nou?' Het klinkt dramatisch.

Hidde zegt niks als ze nog even haar hoofd tegen zijn schouder vleit. Hij durft de gedachte nauwelijks toe te laten, maar stel, stel nou eens dat Bennie niet meer terugkomt...

# 24

Uitnodigend steekt het *Zwolsch Dagblad* door de brievenbus naar binnen. Van de kop boven het openingsverhaal is alleen het laatste woord te zien: ZOEK! Zoals je een hond opdracht geeft een verstopte tennisbal op te sporen. Alleen deze keer is het bittere ernst: het gaat niet om een tennisbal, het gaat om Bennie. Hoewel Hidde het verhaal zelf nog geen etmaal geleden getikt heeft, schrikt hij bijna van de kop over de volle breedte:

ZWOLSE KUNSTENAAR ZOEK!

Met een kort bericht staat zijn reportage in het bijvoegsel aangekondigd op de 'r'. Normaal is hij trots als hij de voorpagina haalt, maar deze keer roept het gemengde gevoelens op. Het is toch anders als je over een vriend schrijft. Snel trekt hij de bijlage tevoorschijn en laat hij zijn blik over de pagina gaan.

---

## ZWOLSE KUNSTENAAR LIJKT SPOORLOOS VERDWENEN
## WAAR IS BENNIE VAN DER KOLK?

Van onze verslaggever Hidde Dantuma

---

**Al bijna een week wordt de bekende Zwolse kunstenaar Bennie van der Kolk (55) vermist. Vorige week zondagavond was hij nog aan het werk op zijn atelier bij kunstenaarsvereniging het Palet aan de Rhijnvis Feithlaan. Sindsdien ontbreekt van hem ieder spoor. De politie sluit een misdrijf niet uit en heeft een team van twintig man op de zaak gezet.**

Typisch Van der Kolk! De eerste reacties op de vermissing van Bennie van der Kolk waren voorspelbaar. Was dit de zoveelste stunt van een publiciteitsbeluste artiest? Die vent doet ook alles om het nieuws te halen! Maar al snel sloeg de twijfel toe. Was er deze keer misschien meer aan de hand?

Bennie van der Kolk geniet al jaren een omstreden reputatie als bekendste kunstenaar van Zwolle. Kenners prijzen zijn werk de hemel in of kraken het tot de grond toe af. Het is alles of niets. Dat geldt ook voor zijn persoon: de mensen lopen met hem weg of ze moeten hem niet.

Afgelopen maart baarde Van der Kolk nog opzien met zijn gevleugelde performance bij de storting van de eerste betonlaag voor de Oosttribune van het nieuwe voetbalstadion. Als een engel daalde hij af uit een witte helikopter en cirkelde hij rond boven de verbaasde menigte, om even later weer in de wolken te verdwijnen. Typisch Van der Kolk!

Deze keer is zijn verdwijning echter geen act. Sinds afgelopen zondagavond lijkt Van der Kolk van de aardbodem verdwenen. De recherche tast in het duister en houdt alle opties open. Omdat in zijn atelier op zijn palet bloedsporen zijn aangetroffen, sluit de politie een misdrijf niet uit.

Een ontvoering ligt niet voor de hand. Van der Kolk heeft geen vermogen en woont in een huurhuis. Bovendien is er tot op heden geen losgeld gevraagd. Ook een afrekening lijkt niet voor de hand te liggen. Van der Kolk heeft in het culturele circuit wel de nodige tegenstrevers, hij is nooit te beroerd mensen ongezouten de waarheid te vertellen, maar hij is geen crimineel die zomaar kan worden omgelegd, en hij heeft ook geen strafblad. Derde mogelijkheid is een crime passionel. Van der Kolk staat bekend als een liefhebber van het schone geslacht. Zou een bedrogen echtgenoot die zondagavond verhaal hebben gehaald? Of heeft een gewezen minnares wellicht wraak genomen?

### Nieuw leven?

Bij vermissingen van volwassenen moet de politie altijd een inschatting maken van de ernst van de zaak. Het is immers mogelijk dat iemand er zelf voor kiest ongemerkt te vertrekken en elders een nieuw leven te beginnen. 'Anders dan bij minderjarigen komt de politie niet meteen in actie. Daar is meer voor nodig,' zegt een woordvoerder die verder weinig over de zaak kwijt wil.

In het geval van Van der Kolk is de politie afgelopen dinsdagochtend door diens partner op de hoogte gesteld van zijn verdwijning. Toen er bloed op het palet werd aangetroffen, is er woensdag meteen een rechercheteam samengesteld. Codenaam: Rembrandt. Het team staat onder leiding van commissaris Henk van Dam en officier van justitie Karin Pietersen.

Van der Kolk had afgelopen zondagavond om 20.30 uur een afspraak met vastgoedontwikkelaar Hannes Haak, zo blijkt uit zijn agenda. Hij werkte aan een portret van de omstreden zakenman. Dat was bestemd voor de 'eregalerij' van het nieuwe stadion. Bij wijze van cadeau aan de club schildert Van der Kolk een keur aan (ex-) spelers, bestuursleden en sponsors. Het *Zwolsch Dagblad* besteedt er in een serie aandacht aan.

Hannes Haak is met zijn bedrijf volop betrokken bij de ontwikkeling van het stadion en is tevens een van de hoofdsponsors. Hoeveel geld Haak in de club en het stadion steekt, wil niemand zeggen. Het zou om miljoenen gaan. Er doen al enige tijd geruchten de ronde dat de bouw van het stadion ook wordt aangewend om zwart geld te witten. Harde bewijzen ontbreken echter.

Volgens een bron dicht bij het onderzoek is Haak naar eigen zeggen afgelopen zondag hooguit een kwartier op het Palet geweest. De volgende ochtend moest hij voor zaken naar Kroatië. Hij zou vandaag terugkeren.

**Duitse BMW**
De huismeester van het Palet heeft de bewuste zondagavond een donkere BMW met hoge snelheid van de parkeerplaats van de vereniging zien wegrijden, mogelijk met een Duits kenteken. Rond middernacht zou eenzelfde auto zijn gesignaleerd bij het stadion. Een voorbijganger hoorde geschreeuw en zou de auto ook hebben zien wegrijden. De politie heeft de betreffende wagen echter nog niet weten te traceren. Er zijn camerabeelden opgevraagd en bekeken. Ook is er contact gelegd met de Duitse politie.

Het stadion en omgeving is met speurhonden uitgekamd. Die sloegen wel aan, maar verder heeft dat niets opgeleverd. Eventuele sporen kunnen zijn uitgewist doordat die nacht beton is gestort, onder meer voor de fundering van de skyboxen. De aanwijzingen zijn volgens een bron binnen de recherche echter te mager om de boel open te breken. De bouw van het stadion ligt al achter op schema. De politie vreest een torenhoge claim als de actie vergeefs zou zijn.

De verdwijning van Van der Kolk is inmiddels ook landelijk nieuws. De combinatie van kunst en misdaad spreekt tot de verbeelding. In 1994 was de Amsterdamse schilder Rob Scholte het slachtoffer van een bom onder zijn BMW. Als gevolg van die explosie verloor Scholte beide benen, en zijn toenmalige zwangere vrouw Mickey Hoogendijk hun ongeboren kind. De aanslag is nooit opgehelderd.

Er waren destijds aanwijzingen dat de bom was bestemd voor de omstreden advocaat Oscar Hammerstein. Diens BMW stond om de hoek geparkeerd en hij was verwikkeld in een zaak rond een gevaarlijke drugsdealer. Maar dat spoor bloedde dood. Ook werd gesuggereerd dat Scholte vijanden had gemaakt in het hoofdstedelijke drugsmilieu. Hij zou coke hebben gesmokkeld in schilderijlijsten, maar zelf grootverbruiker zijn geworden en zo schulden hebben gemaakt. Ook deed het verhaal de ronde dat de flamboyante kunstenaar een relatie zou hebben met de vriendin van een Joegoslavische maffiabaas. Die zou wraak hebben willen nemen.

Hoewel Bennie van der Kolk zelf geen drugs gebruikt, heeft hij wel contacten in die wereld. Een van zijn oude vrienden zit in de hasjhandel, aldus een anonieme bron, en zou ook weer een relatie zijn van Haak. Of hij met de verdwijning te maken heeft, wil de politie echter niet bevestigen. 'Hangende het onderzoek doen wij geen uitspraken,' aldus de woordvoerder.

Veel geruchten, veel veronderstellingen, veel mogelijke verbanden – maar waar is Bennie van der Kolk?

---

Nu hij zijn eigen verhaal zo terugleest, vraagt Hidde zich opeens af of hij die verwijzing naar Frank wel had moeten optikken. Gelukkig heeft hij op advies van Henk van Dam op het laatste moment in elk geval nog zijn naam geschrapt, maar Frank weet natuurlijk donders goed dat het om hem gaat. Zou hij ook weten wie de anonieme bron is? De gedachte maakt Hidde ongerust. Als Frank maar geen verhaal gaat halen bij Yvonne.

# 25

Het liefst was Hannes Haak afgelopen maandagochtend in zijn eigen Cessna van Lelystad naar Kroatië gevlogen, maar hij vertrouwt de verkeersleiding in die schurkenstaat voor geen meter. Voor je het weet, vlieg je met je toestel tegen een rots of land je in de Adriatische Zee, omdat de verkeersleider de hele dag wodka heeft zitten drinken of net zijn roes ligt uit te slapen.

Maar Haak had nóg een reden om business class vanaf Schiphol te vliegen. Die reden was Minnie. Zijn nieuwste verovering. Hij kende haar net en wilde haar graag beter leren kennen. Lekker met zijn tweeën aan de champagne. De knetterende spanning tussen hen was genoeg om half Schiphol van elektriciteit te voorzien.

Minnie had gretig gereageerd op zijn aanbod om mee te gaan naar Kroatië. Minnie was zo'n vrouw die er altijd perfect opgemaakt en in de duurste designerkleding bijliep, zonder een regulier inkomen te hebben. Type golddigger. Maar daar was je als gefortuneerd man zelf bij, vond Haak.

Na drie stukgelopen huwelijken – oogst: vijf kinderen – heeft Haak een turbulent liefdesleven. Sommige vriendinnen heeft hij voor een nacht, andere semi-permanent. De leden van zijn harem verrast hij bij wijze van beloning voor bewezen diensten standaard met een eigen appartementje in de stad. Die meisjes weten niet wat ze overkomt. In het zijvakje van zijn gepantserde BMW liggen soms wel vijf verschillende huissleutels. Een enkele keer is er ruzie in de tent en vliegen twee vrouwen elkaar letterlijk in de haren, maar dat weet hij normaal gesproken wel af te kopen met dure cadeaus en fijne snoepreisjes.

Haak is een geboren zakenman. Toen hij nog op het kamp

woonde, had hij al een goede neus voor het snelle geld. Aanvankelijk met de handel in tweedehands auto's en eigenlijk met alles wat los en vast zat, tot af en toe een containertje hasj aan toe. Nu zit hij al weer zo'n twintig jaar in het vastgoed. Dat begon met een paar opknappertjes: uitgewoonde herenhuizen die hij voor een habbekrats op de veiling kocht, opknapte en daarna opsplitste in appartementen.

Tegenwoordig bestaat zijn vastgoedportefeuille uit tientallen woningen in Zwolle, winkelcentra her en der in het land en villaprojecten voor verhuur langs de kust, op de Waddeneilanden en binnenkort in Kroatië.

Nee, Haak Vastgoed BV is kerngezond. Aan de buitenkant. Het is echter een publiek geheim dat Haak niet vies is van zwart geld. Hij stelt geen vragen als 'investeerders' met tassen vol contant geld komen aanzetten. Uiteraard kan hij die bedragen niet meteen op zijn bankrekening storten. Dan zou hij meteen een 'mot' aan zijn broek hebben: een melding ongebruikelijke transactie. In een opkomende economie als Kroatië hebben ze gelukkig geen belangstelling voor de herkomst van geld. Geld is daar geld. Elke euro – of welke muntsoort dan ook – is meer dan welkom. En als er vragen zijn, doen steekpenningen wonderen.

Aan de kust bij het eiland Krk worden in opdracht van Haak Property Ltd momenteel 330 luxe villa's gebouwd. Een investering van bijna honderd miljoen euro. Ook op dit project houdt hij een 'huisje' voor zichzelf. Een dubbele villa met zwembad en sauna. En zo'n luxe buitenkeuken waar hij Sjakie of een andere topkok de gasten kan laten verwennen, als hij weer eens een aantal mensen laat invliegen voor een spetterend feestje. Maar eerst moeten alle huizen verkocht zijn, dan kan hij de flessen weer laten knallen.

Kroatië en Bosnië zijn paradijzen als je geld hebt. Alles kan. Zeker als je over de juiste contacten beschikt. En met een paar van die oud-commando's als bodyguard, type 'head-and-shoulders', hoef je nergens bang voor te wezen. Die jongens – of hun maten waar dan ook in Europa – zijn maar wat graag bereid tegen betaling ook klusjes in Nederland op te knappen. 'No problem, mister. We do what you want. Without trace. Don't worry.'

Maandagmiddag is Haak meteen met Minnie van Zagreb naar de kust gereden. Dat wil zeggen: Sretin heeft ze in zijn snelle Mercedes vervoerd. Die kan in zijn eentje een half leger aan. Maar voor de zekerheid scheurde achter hen nog een auto met een paar zwaarbewapende *Freunde* mee.

De dagen met Minnie zijn vervolgens omgevlogen. De *master bedroom* is meer dan uitbundig ingewijd. En Minnie vond het geen enkel bezwaar 's middags in haar eentje te gaan winkelen. Met zijn creditcard. En met een paar stevige jongens 'om haar tassen te dragen'. Had Hannes even de handen vrij om de voortgang van het project te controleren.

Haak keek zijn ogen altijd weer uit in Kroatië. Wat was het toch dat ze in dit soort landen moeiteloos in een halfjaar een project uit de grond stampten waar je in Nederland al snel een paar jaar voor nodig had? Natuurlijk een overvloed aan handige en vooral goedkope arbeidskrachten, maar ook: geen regels. In Nederland werd Haak soms gek van alle eisen. Als zo'n actiegroep weer eens een zeldzame pissebed op het bouwterrein had waargenomen, lag de boel meteen plat en kon hij zich opmaken voor een slepende juridische grondoorlog.


Precies volgens schema keert Haak zaterdagochtend terug op Schiphol. De afspraak met de recherche is om 12.00 uur. Op zijn kantoor. Het is al 11.00 uur geweest, maar gelukkig is hij zo door de douane en is het niet al te druk op de weg. Terwijl Minnie aan zijn oor likt en met haar beringde hand over zijn dijbeen streelt, belt Haak het opgegeven mobiele nummer. 'Heren, ik ben weer in ons mooie polderlandje. Zie u straks.'

Het kantoor van Haak Vastgoed BV is gevestigd in een statige villa aan de Burgemeester van Rooijensingel. Een voormalig bankgebouw uit 1914 – het staat nog op de gevel: Bank van Doijer & Kalff, in de volksmond ook wel: 'Het dooie kalf'. De bovenste verdieping – waar Haak een luxe appartement heeft ingericht – biedt een imposant uitzicht op het oude stadscentrum van Zwolle.

Zijn bedrijfsnaam prijkt in gouden letters op de voorgevel.

Haak gaat lekker en dat zullen ze in Zwolle weten ook.

Zijn patserige uitstraling is al jaren aanleiding voor roddel en achterklap. De woordgrapjes liggen voor de hand. 'Is het wel in de haak?' of 'Hannes heeft weer een nieuwe stoot aan de haak geslagen'. Het kantoor van Hannes Haak 'Vastfout' staat bekend als de Zwarte Bank. In een interview in *De Telegraaf* heeft een bekende crimineel die jarenlang zijn drugsgeld bij hem in 'stenen' had belegd hem zelfs een keer 'de bank van de onderwereld' genoemd. Haak had er heel wat etentjes in De Refter tegenaan moeten gooien om al zijn bankrelaties gerust te stellen. Maar sinds die tijd kon hij de pers wel schieten.

Haak voelt de woede dan ook als lava opborrelen als hij op zijn BlackBerry een berichtje van zijn secretaresse leest. In het *Zwolsch Dagblad* van die ochtend is zijn naam door het slijk gehaald, schrijft ze. Door Hidde Dantuma. Haak explodeert inwendig. Die Dantuma kan beter op zijn tellen passen. Eén telefoontje naar Kroatië en hij krijgt betonnen voetjes, en dan mag hij het verkeer regelen op de bodem van de stadsgracht, pal bij hem voor de deur! En die fiets van hem, die mogen ze erachteraan flikkeren! Kankerdebiel!

'Is er iets, schatje?' lispelt Minnie in zijn oor. 'Je vindt het toch wel lekker?'

Snel stopt Haak zijn BlackBerry weg en laat hij zich de massage door Minnie welgevallen. Een voor een neemt ze de vingers van zijn rechterhand in haar mond en zuigt en likt ze af. In een weldadige roes zweeft hij over de IJssel en neemt hij, na een laatste snelle inhaalmanoeuvre, nog net de afslag Zwolle-Centrum.

Het recherchekoppel staat al voor de deur als Haak aan komt rijden. Hij schudt beide heren de hand, schakelt het alarm uit en nodigt hen binnen. In de hoge hal domineren marmeren plavuizen, een enorme kroonluchter en fraaie goudomrande spiegels. Links van de monumentale, met houtsnijwerk versierde trap is de werkkamer van Haak. Daar staat in goud op de deur: DIRECTIE EN MANAGEMENT. En daaronder: ONTWIKKELING EN BEHEER.

Aan de muren hangen manshoge reclamefoto's van zijn projecten. Texel, Friesland, Zeeland, noem maar op. Vaak genomen vanuit zijn vliegtuig. Hobby van Frank. In een hoek staat een maquette van zijn nieuwste project in Kroatië. 'Als jullie belangstelling hebben, hoor ik het graag. Voor jullie ben ik nog wel bereid iets van de prijs af te doen. Maar mondje dicht tegen de baas, hè!'

De twee rechercheurs blijven in de plooi. Ze gaan tegenover Haak aan de glazen vergadertafel zitten. 'U had afgelopen zondagavond een afspraak met Bennie van der Kolk.'

'Klopt, tegen 21.00 uur, als ik het mij goed herinner. Ik heb een kwartiertje voor hem geposeerd en hij heeft nog wat foto's gemaakt. Na een kop koffie ben ik snel weer vertrokken.' Met een brede grijns voegt hij eraan toe: 'Minnie lag te wachten.'

'U bent in de nacht van zondag op maandag nog gebeld. Door wie?'

Haak kijkt de twee rechercheurs onderzoekend aan. 'Waarom willen jullie dat weten?' Hij laat even een stilte vallen. 'Ik zou denken door een jaloerse vriendin die had gehoopt dat ik de nacht bij haar zou doorbrengen.'

'Was u die nacht alleen thuis?'

'Nee, dat zeg ik toch? Mijn nieuwe vlam sliep voor het eerst bij me. Minnie.'

'Wat weet u van haar?'

Haak kijkt de beide mannen grijnzend aan. 'Genoeg, zou ik zeggen.'

'U weet ongetwijfeld dat haar broer geen onbekende is in het milieu.'

Haak grijnst nog steeds. 'O,' zegt hij quasiverbaasd. 'Bent u van de milieupolitie?'

'Kent u Frank Wellink?'

'Of ik die ken. Frank investeert ook in het nieuwe stadion. We hebben dezelfde fiscalist, Hoetink. Die heeft ons een paar jaar geleden aan elkaar voorgesteld. Frank en ik prikken nog weleens samen een vorkje in De Refter. En zoals gezegd doet hij weleens een reclameklusje voor me.'

'Denkt u dat Frank iets te maken heeft met de verdwijning van Van der Kolk?'

'Dat moet u mij niet vragen. Dat moet u hem vragen.'

De rechercheurs hebben afgesproken om te bluffen. Eens kijken of Haak hapt. 'Dat hebben we al gedaan. Hij bevestigt dat hij u die nacht heeft gebeld en kort heeft gesproken.'

Voor het eerst lijkt Haak even uit zijn evenwicht, maar hij herstelt zich snel. 'Als u dat weet, waarom vraagt u het dan? Het zou heel goed kunnen dat hij mij die bewuste nacht gebeld heeft. Frank is net als ik een banjer en belt wel vaker in het holst van de nacht. Of hij staat opeens voor de deur met een fles whisky. We zijn zelfs een keer samen midden in de nacht bij het stadion wezen kijken. Als twee trotse vaders.'

'Bent u die nacht soms ook samen bij het stadion geweest?'

'Ik niet in elk geval. Vraag maar aan Minnie. Zal ik haar d'r even bij roepen? Mooie dame, hoor.'

'Doet u geen moeite.'

'Maar of Frank er die nacht in zijn eentje is wezen kijken? Het zou maar zo kunnen. We leven in een vrij land.'

# 26

Yvonne heeft de pagina met het verhaal van Hidde uit de krant gescheurd. Hij ligt voor haar op tafel. Er staat een foto van Bennie bij. Nog net geen foto zoals je die in politiebureaus wel ziet, maar toch. Het is voor het eerst dat ze zo, met die ogen, naar een foto van Bennie kijkt. Bennie, die vermist wordt, die ergens moet zijn, maar niemand weet waar. De gedachte dat er toch allicht iemand moet zijn die weet waar hij uithangt... Ze gruwt ervan. En dan die verwijzing naar Frank... Sinds ze besloten heeft dat Joop uit huis moet, naar het verpleeghuis, heeft ze meer dan eens aan Frank gedacht. Frank is toch een soort lotgenoot, Frank is de enige via wie ze dat hele proces van aftakeling van behoorlijk nabij heeft meegemaakt. En dan was het niet de Frank met wie Bennie ruzie heeft aan wie ze dacht, niet de Frank die hem voor het blok heeft gezet met zijn bekentenis dat hij nog steeds in de hasjhandel zit – en hoe – maar die andere Frank. Een Frank die hier aan deze tafel nog heeft zitten huilen om zijn vader, die ook huilde toen zijn vader moest worden opgenomen. En die bij de begrafenis juist zo sterk heeft gesproken, zonder in tranen te verdrinken: een enkele gesmoorde snik daargelaten had hij alles weten te zeggen wat hij bij de begrafenis over zijn vader kwijt wilde. Warme woorden. Hartelijke woorden...

Heb ik me eigenlijk wel genoeg in alzheimer verdiept? Yvonne schrikt. Ja, ze heeft het er natuurlijk uitgebreid met Bennie over gehad, maar alles wat ze ervan weet, weet ze uit de tweede hand. En... Maar wacht nou eens even, bedenkt ze dan. Ik kan er niks aan doen. Bennie is er niet en ik red het niet zonder hem. Zo simpel is het. Ze kijkt naar de foto. Ze kan het niet over haar hart verkrijgen tegen Joop te zeggen wat er gaat gebeuren. Je durft het niet, hoont ze inwendig. Nee, bijt ze meteen terug. Nou en?

Niet veel later gaat de telefoon.

'Yvonne.'

'Ja, hallo Yvonne. Met Janneke Hermans, van de sociale commissie van het Palet.'

Janneke Hermans? Yvonne heeft geen flauw idee wie ze zich daarbij moet voorstellen, maar ze ziet in elk geval een schort voor zich: bij dat legertje paletarische huisvrouwen, zoals Bennie ze noemt, zijn er nogal wat die voor hun kunstzinnige bezigheden een schort voordoen. 'En dan gaan ze volgens oud-Hollands recept een schilderijtje opkoken.' Ze hoort het hem nog zeggen.

'O, ja. Dag.'

'Hoe is het nou met je? Red je het een beetje?'

Ze klinkt niet bekakt, dus een aantal dames valt al af. Is dit misschien degene die ooit vertrouwelijk tegen haar gezegd heeft dat er ook nogal wat 'hoog aangegrepen' dames bij het Palet zaten, wier man chirurg was of iets dergelijks? Het type dames waar oom Ben het op begrepen heeft?

'Och, nou, gaat wel. Ik eh...'

'Je weet dat het vanmiddag kunstroute is?'

Yvonne geeft het op. Ze kan er geen gezicht bij krijgen. 'Kunstroute?'

'Ja, je weet wel.'

Kunstroute is een maandelijks fenomeen: in die weekenden houden kunstenaars her en der in de stad open atelier. Bennie doet daar zelden aan mee, Yvonne kent het vooral van de Oude Ambachtsschool.

'Ja, nee, ik weet het.'

'Nou, wat ik vragen wou, waarvoor ik bel, zou je het misschien prettig vinden als ik Joop ophaalde? Dan kan hij vanmiddag ook in zijn atelier zijn. Dat vindt hij misschien wel gezellig.'

'Ja, ik weet niet...'

'Zet ik gezellig een kopje thee voor 'm, met wat lekkers d'r bij.'

'Ik eh...' Moest ze zeggen dat Joop maandag...

'Hoe is het met Joop, anders? Wel een rare situatie bij jullie, of niet?'

'Ja, nogal.'

'Ik had het er gister toevallig nog met Inez over, en vanochtend las ik ook nog eens dat akelige stuk in de krant, en nu dacht ik, dat zeiden we gister ook al tegen mekaar, ik zeg: misschien vindt ze het wel fijn als we Joop af en toe ophalen. Zeker nu, nu het kunstroute is.'

'Ja, dat vind ik ook wel heel lief van jullie, maar...'

'Dan doen we dat toch?'

'Ik eh...'

'Of vind je dat moeilijk?'

'Ja, eigenlijk wel. Want weet u, Joop wordt maandag opgenomen, dit is het laatste weekend dat-ie thuis is...'

'Opgenomen? Hoezo dan?'

'Nou ja. Het gaat gewoon niet meer. Zo zonder Bennie...'

'Waar wordt-ie dan opgenomen?'

'In de Meent. Het verpleeghuis...'

'O, in de Meent. Goh. Da's ook wat...'

'Ja...'

'Wat akelig voor Joop. Ik dacht nog: wij kunnen hem zo af en toe ook ophalen. Bij toerbeurt, of zoiets...'

'Ja, ja...'

'Een verpleeghuis is meteen zo'n overgang, hè?'

'Nou ja, hij heeft al een hele tijd alzheimer, hoor...'

'Ja, nee, dat weet ik, dat is ook zo. En jij zit er natuurlijk dagelijks mee, dat snap ik ook wel, maar goh, een verpleeghuis...'

Yvonne krijgt een ingeving. 'De huisarts heeft het geregeld,' zegt ze.

'O. Sorry dat ik zo reageer, hoor, maar ik schrik er gewoon van... Zo akelig. Eerst Bennie die weg is, en nu dit...'

'Ja, het is ook heel akelig, dank u wel.' Yvonne verbreekt de verbinding. 'Tuthola.' Ze wrijft met haar handen over haar gezicht. 'Dat was er weer zo een, Bennie,' mompelt ze. Maar een stemmetje in haar hoofd wijst haar erop dat het wel aardig bedoeld

was, van die tuthola. Even overweegt ze om de onbekende Janneke weer te bellen, om haar excuus aan te bieden, maar dat kan ze
nu even niet opbrengen.

# 27

Haak zit pal voor het enorme fresco van Bennie van der Kolk dat al weer enige jaren de hele achterwand van De Refter beslaat: een reusachtig laatste avondmaal, voor de gelegenheid gesigneerd als *Bennie da Zwolle*.

'Die Van der Kolk is een duivelskunstenaar!' wil Sjakie nog wel eens uitroepen als iemand erover begint. 'Wat zijn oog ziet, schildert zijn hand!' Dat is geen opmerking waar Bennie het in kunsttheoretische zin roerend mee eens zou zijn, laat staan dat hij zich op een dergelijke twijfelachtige benadering zou laten voorstaan, maar het is goed bedoeld. Sjakie is er oprecht enthousiast over en het is waar, zijn enthousiasme heeft Bennie al een paar keer een aardige opdracht opgeleverd van een bekende Nederlander die bij Sjakie getafeld had. In het Gooi en in Amsterdam heeft hij al heel wat fraaie fresco's geschilderd waar de nodige bekende monden bij zijn opengezakt. Hogere mond-tot-mondreclame.

Haak zit pal voor het enorme fresco, maar hij is zich er terdege van bewust dat de blikken die af en toe schielijk zijn kant op worden geworpen niet op de schildering zijn gericht, maar op zijn persoon. Alsof dat lasterverhaal uit het *Zwolsch Dagblad* met portret en al op zijn Armani-pak geprojecteerd staat.

Het is hem niet ontgaan dat diverse gesprekken stilvielen toen hij naar zijn tafeltje werd geloodst. En die blikken zijn niet de enige reden dat hij gigantisch de smoor in heeft. Hij had hier met Minnie moeten zitten, maar door dat gezeik rond Van der Kolk, dat geldbeluste kunstvriendje van Frank, kon hij niet anders dan haar op het laatste moment afbellen om in plaats van Minnie Frank naar De Refter te laten komen. Wat een intiem dinertje met een nog intiemer vervolg had moeten worden, kon wel eens een heel irritant gesprek worden. Maar ja, hij wilde het wel graag hier doen. Hoeveel poen die Frank met zijn handeltje ook bij elkaar heeft gegraaid, elk vertoon van geld blijft hem fascineren en imponeren.

Haak weet donders goed dat hij door veel mensen als een proleet wordt gezien, al was het maar vanwege zijn afkomst. Maar als hij iemand een proleet vindt, is het die Frank wel, met zijn patserige boerderij in Giethoorn. Zelf heeft hij zijn geld tenminste nog eerlijk verdiend, maar waar Frank het allemaal vandaan haalt wil hij niet eens weten. Hij houdt niet van stank. Niet meer, tenminste. Vroeger trok hij ook heus wel eens een containertje binnen, maar ach, dat was een jeugdzonde. Zo zijn er zoveel begonnen. Tegenwoordig behoort hij tot de bovenwereld en wil hij zo min mogelijk met de onderwereld te maken hebben. Al kan het soms niet anders. Maar daar staat tegenover: je kunt toch niet ruiken of geld zwart is? In de snelle wereld van het vastgoed is het al net als bij de bakker. Die vraagt zijn klant toch ook niet hoe die aan zijn geld komt? Je moet niet te precies kijken, anders kun je meteen je faillissement aanvragen.

Hij kijkt op zijn horloge. Bijna negen uur. Hij heeft toch duidelijk halfnegen gezegd? Eikel. Had maar halfacht gezegd, denkt hij. Hij had het kunnen weten. Frank komt altijd overal te laat. Hij komt uit een intens burgerlijk nest, daar heeft Haak helemaal geen moeite mee – hij heeft de moeder van Frank wel eens ontmoet, best een aardig mens – maar het lijkt wel of Frank zich zonodig uit alle macht moet afzetten tegen de burgermanswereld die hem heeft voortgebracht. In plaats van dat hij er zijn voordeel mee doet! Die panische angst altijd om voor burgerlijk te worden versleten, ongelooflijk. Alsof hém dat een reet zou kunnen schelen. Frank wel. Burgermannetje.

Ah, als je het over de duvel hebt. Haak zit zo dat hij de ingang in de gaten kan houden, dat eet wel zo prettig, en wie komt daar aan? Onze man uit Giethoorn. Francisca heeft hem al gespot. Ja, ook Giethoorn, hè? Even bijbeppen natuurlijk. Ze trippelt zelfs met hem mee. Frank lijkt nog niet te beseffen dat dit een pittig gesprek gaat worden.

'Zo, kapitein Haak,' zegt Frank nog voor ze bij zijn tafeltje zijn aangekomen. 'Ook weer in het land?'

'Helaas wel,' zegt Haak. 'Het land van de vrijheid van meningsuiting zullen we maar zeggen, hè?'

'Heb je daar moeite mee?' vraagt Francisca brutaalweg.

'Hangt ervan af wat ze over me schrijven.'

Francisca begrijpt dat ze er beter niet op door kan gaan. 'En wat willen de heren drinken?' vraagt ze, alsof ze zojuist naar ieders tevredenheid een gesprekje over het weer hebben afgerond.

Voordat Haak iets kan zeggen, neemt Frank het woord. 'Heb je misschien iets in de kleur van die leren broek waar ik je vandaag in zag rijden? Dat zag er lekker uit.'

'Dank je,' zegt Francisca. 'Rood dus. Zal ik dan zelf maar even kijken?'

Haak weet even niet of hij de regie weer in handen moet nemen – bij zijn weten heeft hij Frank hier uitgenodigd, niet andersom – maar aan de andere kant zit hij ook niet op het gekwebbel van die Francisca te wachten. 'Ja, doe dat,' zegt hij kortaf.


Frank gaat recht tegenover Haak zitten. 'En, wat verschaft mij dit genoegen?' vraagt hij als hij goed en wel zit.

Haak neemt Frank op alsof hij hem nu pas in de gaten heeft. 'Ah, Frank. Ik mag aannemen dat je bij al je drukke werkzaamheden in het audiovisuele circuit gister ook even de tijd hebt genomen om de krant te lezen? Dat stuk van die Datema?'

'Dantuma. Ja, daar ben ik even voor gaan zitten. Hij heeft wel lef.'

'Dan weet je ook wat jou dit genoegen verschaft.'

Francisca komt verbazend snel weer aan lopen met een fles en trekt behendig de kurk eruit. 'Meneer Haak?' zegt ze dan. 'Aan u de eer?'

Haak geeft haar een onderkoeld knikje en schuift zijn enorme glas naar haar toe. Francisca schenkt een bodempje in en gunt hem tegelijkertijd een blik in haar decolleté. Daar is in elk geval niks mis mee, denkt Haak. Ze houdt hem het etiket van de fles voor.

'O, moet ik nou mijn leesbril opzetten?' zegt Haak.

'Voor mij niet, hoor,' zegt Francisca.

Hij neemt het glas op, laat de inhoud even walsen, snuift de geur op en neemt een slok. Hm, denkt hij. Ook niks mis mee. Jammer voor haar. Langzaam met zijn hoofd schuddend kijkt hij op. 'Ik proef de sterren er niet aan af,' zegt hij.

'O?' zegt Francisca. 'Toch geen kurk?'

'Dat weet ik niet, dat is jouw afdeling, maar ik vind hem toevallig niet lekker. Mag het?'

'Vrijheid van meningsuiting, hè?' zegt Frank met een knipoog naar Francisca.

'Tja, kan gebeuren.' Francisca maakt er verder geen woorden aan vuil. 'Dan haal ik toch een andere fles? Wat moet het wezen, wat fruitiger, of wat zwaarder?'

'Allebei,' zegt Haak.

'In één fles?' vraagt Francisca.

'Maakt me niet uit,' bromt Haak, nu zonder haar aan te kijken. Met een pokerface verwijdert Francisca zich weer.

Frank zit grinnikend naar Haak te kijken. 'Die Dantuma mag dan lef hebben, maar jij kunt er ook wat van.'

Haak knikt. 'Dat je dat even goed in de gaten houdt.'

Net als een in het zwart gehulde knaap hun met een uitgestreken gezicht de fraai vormgegeven menukaarten aanreikt, komt Sjakie aanwandelen, met onder zijn smetteloos witte jasje een spijkerbroek en cowboylaarzen. Ontspannen geeft hij beide gasten een handje. 'Dag Hannes, hé Frank. Willen jullie van de kaart bestellen of zal ik mijn gang gaan?'

Haak grinnikt. 'Kijk maar uit dat je jasje niet vies wordt, of kijkt Francisca niet op een vlekje?'

'Hangt van de kleur af,' grijnst Sjakie.

'Precies,' zegt Francisca, die met een nieuwe fles komt aanzetten. 'Rooie vlekken heb ik het toevallig wat minder op.'

'Als ik zo'n mooie vrouw had, Sjakie,' zegt Haak, 'zou ik maar uitkijken. Als je het *Zwolsch Dagblad* moet geloven, verdwijnt er nog wel eens iemand hier in Zwolle.'

Francisca heeft de fles al weer ontkurkt.

'Ik ben zo verdwenen hoor, als je last van me hebt. Maar eerst even proeven.' Ze pakt nu zelf een glas, schenkt wat in, zet het voor Haak op tafel en loopt naar een ander tafeltje waar kennelijk eveneens een vinologische kwestie speelt.

Sjakie gaat verder niet op de woorden van Haak in. In de horeca geldt wat hem betreft het adagium: horen, zien en zwijgen. Of overeenkomstig zo'n andere tegeltjeswijsheid die er bij hem al vroeg is ingeramd: de klant is koning.

'Als voorafje wil ik jullie een chorizoworst laten proeven,' zegt hij opeens ernstig, 'die nog niet op de kaart staat. Van een slagertje uit Dalfsen. Johnny Bakker. Onthoud die naam. "Bakker, uw slager", staat er met koeienletters op zijn etalage. Maar die Bakker is met zijn worsten wel mooi Europees kampioen. Ik heb er zelf wat peper aan toegevoegd en nou moet ik alleen nog een goeie naam verzinnen. Bij chorizo denk je toch niet meteen aan Dalfsen. En "worst van Johnny" bekt wel lekker, maar kan verkeerd begrepen worden!' Die laatste woorden gaan vergezeld van een knipoog waar niet op gereageerd wordt.

'Sjakie, Sjakie, wat verwen je ons weer,' zegt Haak. 'Weet je wat, doe mij daarna maar een flink bord vlees, en ik denk dat mijn vriend uit Giethoorn het vanavond bij vis houdt.'

'Ik combineer wel wat,' zegt Sjakie. 'Was je trouwens al in het Rasphuis geweest? Ik weet het niet meer, er zijn zoveel mensen wezen kijken. Als je het wilt zien, moet je maar een gil geven, dan krijg je een rondleiding. Altijd interessant voor een vastgoedman. Het begint al lekker op te schieten. Al zou het voor ons wel fijn zijn als Bennie zich ook weer eens meldde,' voegt hij er met een blik op het laatste avondmaal van Bennie aan toe.

'Ach, die komt vanzelf weer boven water. Die moet vast nog wat wilde haren kwijt. Dat heb je met die kunstenmakers.'

'Ik hoop het, ik hoop het,' zegt Sjakie. 'Jongens, ik ga m'n jasje vies maken.'

'Doe dat,' zegt Haak als Sjakie buiten gehoorsafstand is, 'en hou je verder sjakies.' Zijn oog valt weer op Francisca. 'Jezus, wat een kont. Het vrouwenvlees is wel oneerlijk verdeeld in Giethoorn, of niet?' zegt hij met een spottende blik op Frank. Frank houdt het al meer dan vijfentwintig jaar met dezelfde Brabantse gratenkut. Hij is er kennelijk heel tevreden mee, want hij heeft hun vijfentwintigjarig samenzijn nog niet zo lang geleden groots gevierd. Haak had vrolijk meegefeest en -gesnoven met het gezelschap dat Frank een heel weekend naar Ibiza had laten overkomen, maar had niet begrepen wat Frank nou helemaal te vieren had met dat mens. Geen lol aan te beleven, je kon net zo goed met een bos takken in een greppel gaan liggen! Nee, dan Minnie... 'Maar ja,' voegt hij er vilein aan toe, 'een goed karakter is ook wat waard, hè?'

'Zeg nou maar wat je op je lever hebt,' zegt Frank opmerkelijk onaangedaan. 'Misschien lucht dat op.'

'Goed,' zegt Haak. Hij laat even een stilte vallen en kijkt Frank doordringend aan. Zijn gezicht staat strak. 'Frankie, jongen, dat hele gedoe rond dat geldbeluste vriendje van jou, dat was allemaal niet zo slim. Ik ben er helemaal niet blij mee.'

Eenmaal begonnen windt Haak zich steeds meer op. Dat artikel in het *Zwolsch Dagblad* zit hem hoog. 'Dat kan ik héél slecht gebruiken, weet je dat? Straks wil geen enkele bank meer zaken met me doen. En dan kun je d'r op wachten dat ze mijn project in Kroatië onder de loep gaan nemen. Nee, je wordt bedankt, Frank.'

'Ja, hoor eens, die "Freunde" die jij op mijn dak had gestuurd, omdat die zo'n constructieve bijdrage aan ons "stevige gesprek" zouden kunnen leveren, die spraken geen Zwols.'

'Wat heeft dat ermee te maken?'

'Nou,' zegt Frank, 'het zou wel handig geweest zijn, als ze hadden geluisterd toen ik zei dat ze zich een beetje in moesten houden. De heren gingen tekeer alsof ze de hele burgeroorlog op de Balkan nog eens dunnetjes wilden overdoen.'

'O, dus nou hebben mijn vrienden het gedaan.'

Dezelfde jongeman als daarnet zet wat bordjes met worst en andere lekkernijen op tafel. Hij wijst keurig alle stukjes vlees aan, geeft er een naam bij en besluit met: 'Veel smaakplezier.'

'Zeg je dat ook tegen je bazin als ze jouw worstje gaat voorkauwen?' reageert Haak geprikkeld.

Frank weet niet wat hij zeggen moet. Wat is verder eigenlijk de bedoeling van deze hele bijeenkomst? Het is niet zijn schuld, wat er al dan niet met die moreel superieure kunstenmaker gebeurd is. Haak is op het oorlogspad, dat is duidelijk, maar wat wil hij nou eigenlijk? Moet je hem zien zitten. Hij zit met zijn harige poot zijn bek af te vegen alsof hij in de pauze van een voetbalwedstrijd een patatje oorlog met een berenhap heeft weggewerkt.

'Weet je,' zegt Haak. 'De recherche vraagt zich af of jij misschien iets met die verdwijning te maken hebt.'

Frank kijkt hem vragend aan.

'En waarom je mij die nacht gebeld hebt.'

Nou is het genoeg, denkt Frank. Nou moet die kamper niet proberen mij van alles in de schoenen te schuiven. Opeens barst hij uit. 'Ik zou maar een beetje op mijn woorden letten, kapitein Haak,' zegt hij. 'Samen uit, samen thuis.'

'Liever niet,' zegt Haak, terwijl hij Frank nakijkt, die naar buiten beent.

Sjakie ziet het ook. Hij komt meteen aan lopen. 'Wat nou, viel de worst niet goed?'

'Ach nee, hij moest opeens weg. Zeker stront aan de knikker thuis.'

Haak twijfelt of hij Minnie zal bellen om alsnog te komen. Maar nee. Daar staat zijn hoofd even niet naar. In een paar happen werkt hij het bordje vlees naar binnen dat Sjakie met zoveel zorg heeft opgemaakt. *Nouvelle cuisine!* Die gore uitvinding was hem iets te populair in die dure tenten. Zo zou hij nog wel zes bordjes lusten!

Sjakie gaat even op de stoel zitten waar Frank zonet woedend van is opgestaan. 'Zeg, wou je het Rasphuis nog even zien? Kun je meteen zien wat ik met die lege flessen Dom Perignon van dat bootfeestje van je heb gedaan. Die heb ik die nacht meteen op de achterbank van de Porsche mee naar huis genomen en nou heb ik ze in een lamp laten verwerken. Je weet niet wat je ziet. Hij hangt boven de bar en ik kan je zeggen dat hij een heel ander licht op de zaak werpt.'

'Ik voel me gevleid, Sjakie, maar een andere keer graag,' zegt Haak, en hij legt een biljet van 500 euro op tafel. 'Die pleegzuster bloedwijn van Francisca viel niet helemaal lekker vanavond.'

# 28

Nog vermoeider dan anders wordt Yvonne wakker uit een slaap die, alles bij elkaar opgeteld, nog geen drieënhalf uur geduurd heeft. De hele nacht heeft ze liggen malen en verscheidene keren heeft ze op het punt gestaan de huisartsenpost, het verpleeghuis, de politie of wat voor instantie dan ook te bellen om de opname van Joop af te blazen.

Joop weet nog altijd van niks, terwijl het vandaag toch echt zal moeten gebeuren. Vandaag moet hij de deur uit, en dan komt hij niet meer terug – misschien wel nooit meer.

Maar het was vooral Bennie die vannacht door haar hoofd spookte. Bennie die terugkwam, en die dan naar Joop vroeg, en die tot de ontdekking moest komen dat Yvonne zijn vader had laten opnemen. In haar nachtmerries was hij boos, verdrietig, kil, afstandelijk, nooit meelevend. Hoe kon ze nou zoiets doen?! Hoe haalde ze het in haar botte hersens?! Hoe lang was hij nou helemaal weggeweest? En dan komt hij weer thuis en dan krijgt hij dit! Yvonne had zich uitgeput in verontschuldigingen, verklaringen, maar ze had zelf heel goed geweten dat ze te ver was gegaan. Het waren allemaal uitvluchten. Joop had één keer een verkeerd mes in zijn handen gehad om een boterham te smeren, één keer, en wat doet Yvonne? Ze reikt hem niet even rustig een tafelmes aan, nee hoor, ze belt jankend de dokter. Om Joop uit huis te laten halen! Net zo makkelijk. Weg met die ouwe.

Bennie was woest.

Yvonne huivert. Het lijkt wel of de woede van Bennie nog in de kamer hangt. Een hele tijd blijft ze liggen staren. Rustig ademhalen, houdt ze zichzelf voor. Ze heeft die ochtend om een uur of vijf de wekker omgedraaid, ze was het zat om er de hele tijd naar te liggen kijken, naar al die minuten die langzaam wegtikten. Als ze de wekker weer met de wijzerplaat naar zich toe zet, ziet ze dat het bijna halfacht is. Met een diepe zucht staat ze op. Ze schuifelt naar de badkamer. Ik lijk zelf wel een bejaarde, denkt ze. Ze probeert niet naar haar spiegelbeeld te kijken. Maar dan is ze het in één keer spuugzat. Woedend kijkt ze zichzelf aan, even woedend als Bennie haar vannacht zo vaak heeft aangekeken: 'Kom op, zeg, kun jij het helpen?' bijt ze zichzelf toe. 'Bennie is weg. Jij moet het alleen zien te rooien. En hoe vreselijk het ook is, hoe akelig het ook is, hoe treurig het godverdomme ook is, Joop kun je er niet bij hebben. Niet zoals hij nu is.'

Er wordt aan de deur gemorreld.

'Ben jij dat, Max?'

De deur is op slot. Deed ze dat anders ook?

'Marijke!'

Nee, dus. Het is de ijle stem van Joop. Ze haalt diep adem. 'Bijna klaar!' roept ze dan. Ze moet nog steeds een tas inpakken voor Joop. Zonder dat hij het merkt. 'Joop,' roept ze. 'De badkamer is vrij, hoor.'

Een uur later staan Yvonne en Joop beneden voor de deur. Ze heeft Joop verteld dat ze naar zijn atelier gaan. Ze wist geen andere manier te bedenken om hem beneden te krijgen. Het schuldgevoel dat meteen na die leugen de kop opstak, probeert ze uit alle macht weg te duwen. Het maakt niet uit wat je tegen hem zegt, heeft de huisarts gisteravond nog gezegd, toen ze hem belde. Als Joop zich er maar goed bij voelt, daar gaat het om.

Yvonne kijkt af en toe tersluiks naar Joop. Hij lijkt zich er inderdaad goed bij te voelen. Zou hij straks, als hij in de Meent zit, nog wel eens naar zijn atelier mogen?

Ah, daar zul je het busje hebben. Een forse geblondeerde vrouw, met veel rouge en make-up, stapt uit en komt op hen af. 'Meneer Van der Kolk?' zegt ze.

O god, denkt Yvonne. Laat haar niet zeggen waar we naartoe gaan. Ze geeft de vrouw snel een hand.

'U hebt alles?' zegt ze, met een blik op de tas die Yvonne in haar hand heeft.

'Ja, dit is alles,' zegt Yvonne.

'Mooi. Komt u mee?' zegt de vrouw tegen Joop.

Joop schuifelt waarachtig naar het busje.

'Gaan we zo,' zegt Yvonne tamelijk huichelachtig en geheel overbodig. Het lijkt warempel goed te gaan. Net als ze opgelucht wil ademhalen omdat Joop zich in het busje lijkt te willen hijsen, blijft hij staan. Hij houdt zich aan weerskanten van de opening vast, de ellebogen op slot. Hij zegt niks, blijft alleen zo staan.

Yvonne ziet het even aan. 'Toe maar, Joop,' probeert ze dan zo luchtig mogelijk. 'Stap maar in het busje.'

Maar Joop zegt niks en verroert zich niet. Yvonne pakt hem zachtjes bij een elleboog. Joop reageert alsof hij wordt gestoken, hij tilt zijn arm op en wil uithalen. Yvonne krimpt ineen. Opeens begint Joop te lachen. 'Schrikken, hè?' Hij draait zich om en wil weer teruglopen naar de voordeur.

De chauffeuse komt Yvonne te hulp alsof het haar geen enkele moeite kost. 'Gaat u mee, meneer Van der Kolk?' zegt ze tegen Joop. 'We gaan een eindje rijden.' Het lijkt wel of Yvonne op slag verdwenen is.

Joop reageert bijna verheugd. 'Het is toch niet erg dat ik dronken ben?' informeert hij nog.

'Nee, hoor, helemaal niet,' zegt de vrouw met een knipoog naar Yvonne.

Tot haar ergernis voelt Yvonne een snik opwellen. Ze pakt snel een zakdoekje en snuit haar neus.

'Toe maar,' zegt de vrouw intussen tegen Joop. 'Stapt u maar in.'

Joop laat zich gewillig in het busje zetten. Hij keurt Yvonne geen blik meer waardig.

'Komt u voorin zitten?' zegt de chauffeuse tegen Yvonne. Joop zit al in het busje, als een anonieme passagier die een aantal haltes eerder is ingestapt. Hij staat pal voor zijn huis, maar uit niets blijkt dat hij daar weet van heeft.

Yvonne stapt in. Het lijkt wel een film, denkt ze dan. Terwijl ik niet eens wegga. Ze kijkt over haar schouder. Joop is degene die weggaat. Ik ga straks weer gewoon naar huis. Nou ja, gewoon...

Joop kijkt uit het raampje. Wat gaat er in dat hoofd om?

Langzaam rijden ze weg. 'Dat viel mee, hè?' zegt de vrouw.

'Tja... wat zal ik zeggen.' Yvonne weet het niet. Viel het mee?

'Ik heb er wel eens een gehad die een deuk in mijn busje trapte,' zegt de vrouw.

'Tja. Als je het zo bekijkt, viel het mee,' zegt Yvonne met een flauwe glimlach.

'Ach. Het blijft altijd moeilijk.' Ze rijden de Melkmarkt op. Yvonne weet niet wat ze zeggen moet.

'Ik heb mijn eigen schoonvader weggebracht,' zegt de vrouw.

'U bedoelt...?'

'Naar een verpleeghuis. Hij had ook alzheimer onder de pet.'

'O.'

'Ja, zo kan ik er niet langs, meneertje,' zegt de vrouw als vlak voor haar een vrachtauto bijna haaks op de rijrichting gaat staan. Ze kijkt over haar schouder, geeft een draai aan het stuur en rijdt om de wagen heen. 'Zo doen we dat.'

Yvonne kijkt nog eens voorzichtig achterom. Joop zit nog altijd naar buiten te kijken, al lijkt het er niet op dat hij veel ziet. Het is net of hij al afscheid heeft genomen van alles wat hij heeft achtergelaten. Rotziekte. Maar goed dat Bennie... Ze maakt de gedachte niet af. Het is inderdaad goed dat Bennie dit niet hoeft mee te maken, maar daar gaat het helemaal niet om. Als Bennie er nog geweest was, had dit niet eens gehoeven...

Tien minuten later staan ze stil voor de deur van het verpleeghuis. Het is een ingang zoals tientallen ingangen van verpleeghuizen eruitzien. Een uitbouw met schuifdeuren, en daarboven een flat. Die deuren schuiven straks open, en dan gaat de enige getuige van wat er met Bennie gebeurd is...

'Stapt u even mee uit?' zegt de chauffeuse, nadat ze in het spiegeltje een blik op Joop heeft geworpen. 'Ik ga naar binnen, mevrouw Cartosio even halen. Zij regelt alles en zij kan lezen en schrijven met uw vader, moet u maar eens opletten.'

'Schoonvader,' zegt Yvonne.

'Schoonvader,' herhaalt de chauffeuse. 'Ik ben zo terug.' Ze loopt door de schuifdeuren naar binnen.

Yvonne drentelt wat heen en weer. Af en toe kijkt ze naar Joop, die nog altijd geen aanstalten maakt om uit te stappen.

Een paar minuten later komt de chauffeuse weer naar buiten met een kleine, donkere vrouw met grote, gitzwarte ogen. 'Antonella Cartosio,' stelt ze zich aan Yvonne voor. 'Ik heb contact gehad met uw huisarts, ik ben van de situatie op de hoogte.' Mevrouw Cartosio spreekt een vrijwel accentloos Nederlands, maar zo nadrukkelijk dat je toch kunt horen dat het voor haar een aangeleerde taal is. Yvonne knikt. Haar huisarts is goud waard.

Zo te zien kent de taal waarmee je je met alzheimerpatiënten moet verstaan voor mevrouw Cartosio ook geen geheimen: ze stapt in en komt met Joop aan de hand weer naar buiten. Als Joop Yvonne ziet, valt hij opeens uit. 'Slet,' sist hij.

'Nou nou, meneer Van der Kolk, dat mag u niet zeggen, hoor,' zegt mevrouw Cartosio.

'Dat maak ik zelf wel uit,' foetert hij, zonder een poging te wagen zijn arm los te trekken.

'Kom maar,' zegt mevrouw Cartosio.

Joop schuifelt met haar mee naar binnen.

Zonder iets te zeggen, met niet meer dan een knikje naar de chauffeuse, loopt Yvonne als een zombie achter hen aan. Joop schuifelt nog altijd mee met mevrouw Cartosio. Yvonne weet niet hoe ze zich voelt: als een kind dat voor het eerst door haar moeder naar school wordt gebracht, of als een moeder die voor het eerst haar kind naar school brengt. Mevrouw Cartosio loodst Joop om een enorme plantenbak heen een kantoortje binnen. Daar wacht een andere vrouw hen op, die Joop een arm geeft en hem in een stoel laat plaatsnemen. Mevrouw Cartosio komt weer naar buiten.

'Dit is niet zoals we het gewoonlijk doen, maar uw huisarts heeft gevraagd of we de inhuizing, gezien de omstandigheden, eventueel ook zonder u zouden kunnen doen. Als we vragen hebben, weten we u te vinden. Of hebt u toch liever...?' Ze kijkt Yvonne onderzoekend aan.

Yvonne moet zich inhouden om niet te gaan huilen. 'Ik weet niet wat ik liever heb,' zegt ze, terwijl ze door de vitrage naar Joop kijkt. 'Maakt het voor hem iets uit?'

'Nou, dat weten we niet, maar ik denk eigenlijk van niet. Hij krijgt hier van nu af aan alle zorg die hij nodig heeft.'

Alle zorg?

'U hebt nog een zoontje, begrijp ik,' zegt mevrouw Cartosio.

'Ja.'

'Nou, die wil zijn moeder vast wel weer zien.'

'Ja.' Ze werpt nog een blik op Joop, geeft mevrouw Cartosio een hand, prevelt een bedankje en maakt zich uit de voeten. Het is net of ze, met Joop, ook een beetje afscheid neemt van Bennie.

'O, mevrouw Tromp?'

Yvonne draait zich om.

'Zijn tas,' zegt mevrouw Cartosio met een glimlach.

Yvonne kijkt. O ja, ze heeft Joops tas nog in haar hand. Ze geeft hem aan mevrouw Cartosio. 'Vergeten,' zegt ze.

'Nee, hoor. U hebt hem toch meegenomen? Bedankt. En sterkte.' Mevrouw Cartosio geeft haar een kneepje in haar onderarm.

Even later loopt Yvonne terug naar de binnenstad. Het is begonnen te miezeren. Regenwater mengt zich met haar tranen. Eerst naar huis, denkt ze. Eerst een potje janken. Ga ik daarna Max wel halen.

# 29

Van Dam is aan de late kant. Karin Pietersen zit al op hem te wachten, maar in tegenstelling tot wat veel van zijn collega's zouden doen, groet Pietersen hem zonder triomfantelijke ondertoon.

'Ah, goedemorgen.'

Van Dam slikt het excuus dat hem voor in de mond ligt in, beantwoordt haar groet en pakt ook zijn papieren erbij.

'Het Rembrandt-team,' begint Pietersen. 'Hoe staat het ervoor?'

'Tja,' zegt Van Dam. 'Slecht. Kort gezegd.'

'Dat is heel kort.'

'Ja, nou ja. We weten niet zo heel veel meer. We wéten dat er iets gebeurd is.'

'We weten alleen niet wat,' vult Pietersen aan.

'Daar komt het op neer, ja. We komen nog steeds niet verder dan één getuige, en dat is zijn vader. En als ik het wel heb, wordt die vanochtend opgenomen omdat hij alzheimer heeft.'

'Een getuige zonder geheugen.'

'Precies. Dat schiet dus niet op. En andere getuigen hebben zich helaas nog niet gemeld.'

'Hoe zit het met jullie verdenkingen? Welke potentiële verdachten heb je op de korrel?'

'Op zich genoeg, of eigenlijk meer dan ons lief is, gezien zijn enigszins polemische levenshouding, maar we hebben met drie mensen in het bijzonder gesproken. Allereerst met Ben van der Kolk. Dat is die oom van Bennie, ook lid van het Palet, tevens penningmeester, met wie Bennie al enige tijd ernstig in de clinch ligt. Ze schijnen elkaar straal te negeren waar iedereen bij staat. Dan heb je Frank Wellink, die oude vriend van Bennie met wie hij kennelijk ook gebrouilleerd is. Zoals je weet is Wellink een wat schimmige figuur die in een knots van een boerderij in Giethoorn woont, zo iemand van wie we allemaal weten dat hij tot over zijn oren in de drugs zit, maar die zich niet zo een-twee-drie laat betrappen. Je kent dat wel. Hij is tevens de eigenaar van het pand aan de Grote Markt waar Bennie en zijn vader wonen, of misschien beter gezegd woonden. En over panden gesproken, dan heb je ook nog Hannes Haak, de vastgoedman, die in elk geval die bewuste zondagavond nog bij Van der Kolk in zijn atelier is geweest, in verband met die eregalerij, waar ook zo nodig een paar sponsors in moesten, en die in de nacht daarna is gebeld door hetzelfde prepaid toestel waarmee die zondagavond naar Bennie is gebeld – vanuit Giethoorn of omgeving, om precies te zijn.'

'Ik mag aannemen dat nog geen van de drie heren ruiterlijk heeft toegegeven dat hij de dader is?'

'Nee,' zei Van Dam grimmig. 'Dat is er niet meer bij tegenwoordig. Misdaden begaan, oké, maar bekennen, ho maar.'

Pietersen glimlacht eventjes. 'Goed, maar wat hebben ze dan wél verteld?'

'De heren zijn alle drie verhoord, maar dat heeft weinig opgeleverd. Volgens de verbalisanten speelden ze stuk voor stuk de vermoorde onschuld. Helaas hebben we te weinig aanwijzingen om ze het mes op de keel te zetten, en al helemaal geen wettig en overtuigend bewijs.'

Van Dam zucht en laat zijn ogen afdwalen naar de kleurige foto's aan de wand achter de blonde officier van justitie. Oogverblindend witte stranden, wuivende palmbomen, maar ook een paar foto's van Natalee Holloway en jongetje Van der Sloot.

'Dus het is te vroeg om wie dan ook aan te houden?' vraagt de magistraat.

'Ik heb mijn vermoedens, maar kan ze niet hardmaken. Ik voel alleen aan mijn water dat dat nachtelijke telefoontje uit Giethoorn over de zaak ging. Bracht Frank verslag uit aan Haak? Of wilde hij juist van Haak weten wat er gebeurd was? Midden in de nacht lijkt mij geen normaal tijdstip om iemand te bellen als daar geen dringende reden voor is.'

Pietersen zwijgt even. 'Blijkbaar verwachtte Haak een tele-foontje,' zegt ze dan. 'Anders neem je zo laat niet op. Ik niet in elk geval.'

Van Dam, bijna triomfantelijk: 'Ik heb mijn mobieltje altijd op mijn nachtkastje liggen. Soms zelfs onder mijn kussen.' En dan met een ondeugende grijns: 'Misschien verwachtte Haak een te-lefoontje van een van zijn minnaressen.'

Vergist hij zich of lichten de ogen van Pietersen even op? Van Dam realiseert zich dat hij niets van haar privéleven weet. Ze draagt aan beide handen ringen, maar geen daarvan lijkt hem een trouwring. Hoewel, dat zegt tegenwoordig niks. De meeste van zijn oudere collega's dragen nog keurig een ring om de ringvin-ger van hun rechterhand. Zo'n wanstaltig dikke gouden trouw-ring waar aan de binnenkant een complete jaarkalender op past. Maar Pietersen en hij horen meer tot de generatie die 'in zonde leeft'. Hij hoort het de dominee nog van de kansel roepen: 'Zij die in zonde samenleven en gemeenschap hebben, gaan naar de hel.' In de *bible belt* is alles mogelijk.

Pietersen doorbreekt zijn gemijmer. 'Wat mij betreft is de ver-denking tegen die drie heren toch wel zodanig dat ik bij de rech-ter-commissaris een tap ga aanvragen. Ga er maar vanuit dat we snel kunnen meeluisteren.'

Die doortastendheid van haar is buitengewoon prettig, vindt Van Dam. 'Mocht je nog wat argumenten nodig hebben om de rechter-commissaris te overtuigen, dan heb je hier de stukken.' Hij trekt een serieus gezicht en gaat er bijna bij staan. Alsof hij het eindrapport van een parlementaire enquêtecommissie aan de voorzitter van de Tweede Kamer overhandigt. Naast de uitge-werkte pv's van de gesprekken met Haak, Frank Wellink en Ben van der Kolk, plus een korte verklaring van onder anderen me-vrouw Roberts en de-man-met-de-hond, bevatten de dossier-mappen de resultaten van het sporenonderzoek. Zowel de om-geving van het Palet als die van het stadion in aanbouw is met geurhonden afgestruind. Ze sloegen overal aan, maar concre-te sporen heeft het nergens opgeleverd. 'Misschien moeten we Harry de Neus eens inschakelen: die ruikt het nog als er honderd jaar geleden een lijk op het strand heeft gelegen.'

Weer die blik van Pietersen.

'Bij wijze van spreken dan,' zegt Van Dam. Alle camerabeelden zijn bekeken, vervolgt hij. 'De donkere auto die de huismeester die avond zag wegrijden en die later waarschijnlijk bij het stadion is gezien, blijkt een gestolen BMW uit Duitsland te zijn geweest, en is volgens onze Duitse collega's vlak over de grens uitgebrand teruggevonden. Spoorloos, zogezegd. Ik kan je zeggen dat ik in een zaak als deze toch meer tips had verwacht.'

Pietersen bladert de mappen zwijgend door. 'Een moord zonder lijk.' Ze kijkt Van Dam aan. 'Meer kan ik er op dit moment niet van maken. Het moet verdomme geen trend worden.'

Ze kijkt even voor zich uit en vertelt dan kennelijk geëmotioneerd over het gecompliceerde onderzoek naar de verdwijning van Natalee Holloway. 'Op een gegeven moment weet je niet meer waar je het zoeken moet. In het begin houd je alle mogelijkheden open: een ongeval, weggelopen, ontvoerd, ondergedoken bij een vriendje. Maar na verloop van tijd blijft er eigenlijk maar één optie open: vermoord en weggewerkt. Verschrikkelijk. Heb jij enig idee hoe vaak zoiets in Nederland voorkomt? Ik herinner mij uit de pers die zaak van Angelique van Osch. Die bleek later door haar man te zijn vermoord en begraven. Hebben ze dat met Van der Kolk soms ook geflikt?'

Van Dam reageert meteen: 'Ik zal Hidde Dantuma eens vragen. Die moet maar eens in zijn databank gaan grasduinen. Hij heeft vast ook wel een overzicht van moorden zonder lijk. Zijn artikel in de zaterdagkrant heeft trouwens geen bruikbare tips opgeleverd, maar wat niet is, kan nog komen.'

Net op dat moment klinkt de tune van zijn mobieltje: de beginmelodie van *The Godfather*. Van Dam zet het toestel meteen op de speaker: het is Francisca van De Refter. Ze laat eerst omstandig weten hoeveel moeite het haar heeft gekost om überhaupt de politie te bellen, en dat Sjakie het helemaal niet zo'n goed idee vond, maar dan vertelt ze opgewonden dat Haak en Frank de avond daarvoor bij een etentje met ruzie uit elkaar zijn gegaan. 'Volgens ons zaten ze de hele tijd over Bennie te smoezen. Maar als een van

ons naar hun tafel kwam, stapten ze snel op een ander onderwerp over. Volgens andere gasten hadden de heren ook duidelijk
iets te verbergen. Jammer dat die figuren die Bennie zo levens-
echt bij ons op de wand heeft geschilderd geen levensechte oren
hebben, zei Sjakie nog. Ze zaten er pal voor.'

Van Dam trekt zijn wenkbrauwen op naar Pietersen. 'Maar niemand heeft dus iets concreets gehoord, begrijp ik dat goed?'

'Nee, concreet niet, nee,' zegt Francisca, 'maar het was wel zo
duidelijk als wat.'

'Goed,' zegt Van Dam. 'Fijn dat u gebeld hebt. We zullen het
zeker meenemen.' Hij hangt op en trekt nogmaals zijn wenkbrauwen op.

# 30

Twee voor de prijs van een, zou je denken, als je de gouden letters op de gevel van het monumentale pand van Hoetink & Zn aan de Kamperstraat ziet: hetzelfde lettertype als bij Hannes Haak. Iets minder glimmend had van meer stijl getuigd.

Hoetink senior geldt nog altijd als een grootheid in de Nederlandse advocatuur, al heeft hij al enige jaren geen optreden in een rechtszaal meer gegeven. Met zijn wijsheid en welsprekendheid heeft hij veel 'snotneuzen' tot voorbeeld gediend: zijn pleidooien waren immer fraai geformuleerd, messcherp en juridisch loepzuiver.

Menig zware jongen in het oosten des lands zegt bij aanhouding door de politie bijna minzaam: 'Bel mijn advocaat maar even, mr. Hoetink.' De naam alleen al jaagt iedere agent en officier van justitie schrik aan.

De tijden zijn echter veranderd. Zenuwachtig haalt Gideon Hoetink zijn hand door zijn grijzende haardos en tikt met zijn vulpen op het gevlamde bureaublad. Zijn BlackBerry licht nog even op. Het nummer dat bij de ontvangen oproep hoort kan hij wel dromen.

Het gesprek heeft exact anderhalve minuut geduurd, maar minstens zijn hele dag in de war gegooid. Hannes Haak klonk alsof hij door de telefoon heen wilde komen en Hoetink bij zijn oor achter zijn klassieke bureau vandaan wilde trekken. Op zo'n moment kun je maar het beste meebuigen als een riethalm in de storm, luidt een van de levenslessen van zijn vader.

'Luister goed, Gideon, jongen. Jij gaat nú uitzoeken wat we tegen het *Zwolsch Dagblad* gaan ondernemen. Dit pik ik niet. Wat moeten de andere sponsors wel niet van me denken!' Dat gekwetste toontje. De onschuld zelve, zou je bijna denken. 'En de banken!' jammerde hij voort. 'Al kost het me een vermogen, we gaan die krant kapot procederen. Laster, smaad, belediging: verzin jij maar iets, ik wil dat je dat Dantumaatje vermorzelt. Dit is een onrechtmatige daad.'

Haak duldt op zo'n moment geen tegenspraak. Hij had de juridische stappen al uitgestippeld. Eerst een kort geding, daarna een bodemprocedure. 'Zo diep als maar kan! Onder de grond ermee! Om te beginnen wil ik dat je vandaag nog beslag laat leggen op zijn huis en salaris. Dien maar een claim in die hij van zijn verslaggeversloon van zijn lang-zal-ze-leven niet betalen kan.'

Uiteraard heeft Hoetink het verhaal in het *Zwolsch Dagblad* gelezen. Hij voelde bij het lezen al aan zijn water dat zowel Haak als Wellink aan de bel zou gaan trekken. Het weekeind was hij vanwege een affaire even niet bereikbaar geweest, maar hij zat deze ochtend koud achter zijn bureau of zijn BlackBerry was al gaan trillen. Haak was de eerste die zich meldde.

Hij heeft hem zo formeel mogelijk uitgelegd dat die claim van later zorg is: eerst de zaak goed bestuderen en een aanklacht concipiëren. Eind van de middag zou hij in elk geval een tekst klaar hebben om naar het *Zwolsch Dagblad* te faxen. 'Daarna kun je hier langskomen.'

'Zeventien uur nul nul scherp,' had Haak geblaft, en toen was de verbinding verbroken.

Het liefst zou hij nu zijn vader even bellen. Maar die maakt een cruise in het Caraïbisch gebied en wil heus wel eens gebeld worden, maar niet te vaak, graag... Zijn vader zou wat wijsheden uit de bijbel debiteren, in de Statenvertaling, en daarna in één adem door een puntgave aanklacht dicteren. Had hij dat talent maar! Pleiten kon hij als geen ander, maar voor al die jurisprudentie moest je niet bij hem zijn. Hij reed liever in een snelle auto door Zuid-Frankrijk of waaide een weekeindje uit in Knokke.

Verdomme! Daar begint het weer. Die tic in zijn nek. Als Hoetink jr. onder druk staat, zware druk, gaat zijn hele nek trillen. Hij kijkt naar buiten. Het is alsof het pand aan de overkant door een aardbeving op zijn grondvesten staat te schudden. De Keizerskroon – waar Napoleon ooit nog eens een nacht heeft doorgebracht. Maar goed dat die logeerpartij al weer twee eeuwen geleden heeft plaatsgevonden: als hij daar nu lag, was hij met maîtresse en al uit bed gelazerd. Klein opneukertje.

Hoetink heeft met alle drie betrokkenen een band en dat maakt het hele zaakje knap ingewikkeld. Haak en Frank Wellink zijn al jaren cliënten, en Bennie kent hij nog van de middelbare school. In de loop der jaren heeft hij zoveel werk van hem voor een vriendenprijsje aangeschaft dat zijn kantoor onder connaisseurs bekend staat als het Van der Kolk Museum.

Portretten van zijn vader en hemzelf hangen pontificaal in de gang. Dat is het negentiende-eeuwse werk, dat past mooi in die gemarmerde omgeving. Maar achter Hoetink prijkt een postmodern schilderij van Marlon Brando in zijn meesterrol als Godfather. Een imitatie-Warhol. Ook daar draait Van der Kolk zijn hand niet voor om.

Hoetink voelt zich als Napoleon, als de kleine generaal aan het begin van zijn laatste, niet te winnen veldslag. De vijand is overal. Het is een kwestie van tijd voor de witte vlag omhoog zal moeten. Of zal hij zich doodvechten?

Daar begint zijn BlackBerry alweer te trillen. Hij kijkt bijna bangig op het schermpje en herkent inderdaad het nummer van Frank.

'Ah, Gideon. Kan ik even langskomen? Ik wil je spreken over dat stuk in het *Zwolsch Dagblad* van afgelopen zaterdag. Ik wil graag een advies van je. Zo snel mogelijk.'

Het is maar goed dat Frank hem niet ziet zitten, met zijn tic. Hoetink wrijft in zijn nek en haalt diep adem. 'Kom maar meteen. Eind van de middag wordt een beetje moeilijk.' Hij kan moeilijk zeggen dat Haak ook al heeft gebeld.

Uiteraard kent Hoetink de strenge reglementen van de Nederlandse Orde van Advocaten. Alleen al de schijn van tegenstrijdige belangen is voldoende aanleiding om een zaak neer te leggen. Eigenlijk zou hij zowel Haak als Frank de deur moeten wijzen, maar ja... Dat zouden ze niet pikken. Voor beide heren heeft hij in het verleden wel fiscale constructies verzonnen om geld wit te wassen – zaken waar hij zijn vader overigens zorgvuldig buiten had gehouden – en op een gegeven moment zit je toch in hetzelfde schuitje...

Het idee om in het nieuwe stadion te investeren was ook van hem afkomstig. Maar dat was louter etalage. Achter de schermen flitste het kapitaal onnavolgbaar over de wereld. Eerst slim weggeborgen in allerlei limiteds, daarna bij wijze van lening weer beschikbaar gesteld. Het nieuwe stadion is in feite een schijnconstructie. Er kan gerommeld worden met de waarde en als Haak eenmaal de informele eigenaar van de club is, kan hij goud geld verdienen in de spelersmakelaardij. Bij een beetje aardige speler blijft voor de makelaar heel wat aan de strijkstok hangen.

Het gesprek met Frank was nog sneller afgewikkeld dan dat met Haak: negenenveertig seconden.

De raderen gaan werken. Razendsnel bedenkt Hoetink zijn strategie. Hij zal Dantuma off the record laten weten dat zijn verhaal niet helemaal klopt. Niet zeggen wat niet klopt, maar alvast voorbereiden op juridische stappen. Of die ook gezet gaan worden, is een tweede. En jullie, zal hij tegen Haak en Wellink zeggen, jullie zijn geen koorknapen. Als je geschoren wordt, moet je stil blijven zitten: niet reageren. Dantuma vooral geen aanleiding geven verder te speuren.

God, die Bennie! Wat is er eigenlijk gebeurd? Hij durft er nauwelijks aan te denken. Het liefst zou hij beide cliënten door elkaar schudden: waar is Bennie?! Maar hij zit zelf met handen en voeten aan die twee vast.

# 31

De telefoon op de gang gaat. Yvonne maakt een eind aan het gerinkel door de ouderwetse hoorn op te nemen. 'Yvonne Tromp.'

'Zeg,' klinkt een hese stem aan de andere kant van de lijn die ze snel als de stem van oom Ben herkent, 'jij bent lekker bezig, of niet?'

'Pardon?'

'Ja. Of je wel helemaal lekker bent. Eerst stuur je de politie op mijn dak omdat jouw kerel ervandoor is en weet ik wat uitspookt waar jij kennelijk...'

Yvonne is een moment sprakeloos en gooit dan de hoorn op de haak. Ze staat te trillen op haar benen.

'Wie was dat?' klinkt het stemmetje van Max vanaf de bank.

'Wie was dat, mama?' vraagt hij nog eens als ze nog steeds sprakeloos de kamer in loopt.

Yvonne herstelt zich snel. 'O, iemand die iets wou verkopen.' Ze probeert het zo luchtig mogelijk te zeggen.

Dat is kennelijk het juiste antwoord, want Max is even stil. Dan rinkelt opnieuw de telefoon.

'Daar is hij zeker weer,' oppert Max.

'Misschien,' zegt Yvonne, al vreest ze dat hij gelijk heeft. 'Ik neem wel even op.' Ja, nogal logisch, denkt ze terwijl ze weer naar de gang loopt. Wie zou hem anders moeten opnemen? Ze grist de hoorn van de haak.

'Hallo!'

'Wat zijn dat voor manieren, dame?' informeert nu een enigszins geaffecteerde vrouwenstem. Dat moet tante Joosje zijn, al zou ze haar niet meteen herkend hebben als ze niet zo onomwonden bij het vorige gesprekje had aangeknoopt.

'Dat vraag ik me ook af, ja. Ik werd geloof ik ergens van beschuldigd.'

'Wat ben jij eigenlijk van plan? Wil je dat monumentale pand helemaal voor je alleen hebben, of komt Bennie straks weer doodleuk tevoorschijn omdat hij zelf te bang was om zijn vader...'

Voor de tweede keer smijt Yvonne de hoorn op de haak. Ze beeft van woede. Wat denken die mensen wel? Hebben ze het soms op mijn huis voorzien? Kan ik hier de politie over inlichten? Ze neemt de hoorn van de haak voor hij weer kan gaan rinkelen, pakt een jas van Joop van de kapstok, wikkelt die stevig om de hoorn en legt het pakketje op het wandtafeltje neer. Ze moet onwillekeurig aan het vleesmes denken dat ook al zo ingepakt boven in de kast ligt. Ze loopt naar de keuken en gaat even zitten.

Stelletje hufters, denkt ze. Misschien moet ik Hidde eens bellen. Die weet hier wellicht beter raad mee dan ik. Want wat is dit nou eigenlijk? Laster? Valse beschuldigingen? Kan ik hier überhaupt een klacht over indienen? Ze staat meteen weer op om haar tas uit de kamer te halen.

'Was dat weer die meneer?' vraagt Max zodra ze over de drempel stapt. Zou hij nog op een telefoontje over Bennie hopen? Mist hij Bennie nu nog meer, nu opa ook weg is? Ze loopt naar hem toe en strijkt hem over zijn haar. Hij heeft het haar van Bennie, schiet het opeens door haar heen. 'Nee, dat was niet die meneer, maar wel zo iemand. Ik ben even in de keuken, oké?' Max knikt en richt zich weer op de televisie. 'Gaan we straks boodschappen doen,' zegt ze er meteen bij, maar daar wordt niet op gereageerd.

Ze pakt haar tas en gaat weer naar de keuken.

Aan de keukentafel haalt ze haar mobieltje tevoorschijn en belt Hidde.

'Hidde Dantuma,' klinkt het na een keer of twee overgaan. Hij klinkt een beetje buiten adem.

'Ja, hoi, met Yvonne,' zegt ze. 'Bel ik ongelegen?' Ze weet niet waar ze beginnen moet. Ze vindt het prettig hem aan de lijn te hebben. Hij heeft iets vertrouwenwekkends. De gedachte dat zoiets alleen maar schijn kan zijn, hoe schoon ook, schudt ze van zich af.

'Nee, hoor,' zegt Hidde. 'Ik ben net op weg naar de redactie, ik moet nog even iets af tikken.'

'O,' zegt Yvonne.

'Maar zeg het maar. Hoe is het met je?' vraagt Hidde, ondanks zijn haast.

'Niet zo goed eigenlijk.' In een flits heeft ze het kloeke besluit genomen zich nu eens niet door haar emoties te laten overweldigen, en het lijkt nog te lukken ook. 'Vrij beroerd eigenlijk,' voegt ze er laconiek aan toe.

Hidde reageert niet meteen. Misschien moet ze hem iets verder helpen. 'Ik kreeg net een vervelend telefoontje, eerst van oom Ben van Bennie, je weet wel, en toen ook nog eens van zijn teer beminde echtgenote. Niks bijzonders verder, hoor, maar toch.'

'Zeg, Yvonne, is het goed als ik je over een uurtje terugbel? Ik ben er.'

'Is goed. Maar heb je misschien zin om vanavond te komen eten?' voegt ze er in een opwelling aan toe. 'Ik ga zo boodschappen doen.'

'Ja, nee, leuk,' zegt Hidde. 'Lijkt me gezellig. Ik eh... ik zal straks ook nog even naar Van Dam bellen, van het recherche-team. Eens kijken hoe de vlag er intussen bij hangt.'

'Ik ben benieuwd,' zegt Yvonne. Wat klinkt dat belachelijk af-hankelijk, schiet het meteen door haar hoofd. Alsof ze die man zelf niet kan bellen.

'Ik ook,' zegt Hidde. 'Zeg, ik moet nu ophangen. Hoe laat zal ik bij je zijn?'

'Uurtje of zeven? Dan zal ik zorgen dat Max in bed ligt, of in elk geval zijn pyjama aanheeft.'

'Goed. Zie ik je vanavond.'

Op de achtergrond hoort Yvonne dat Hidde door iemand wordt aangesproken. 'Tot vanavond!' roept ze nog snel, en dan verbreekt ze de verbinding.

Ze moet even lachen. Even zijn Bennie en Joop en Ben en de hele zooi naar de achtergrond verdwenen. Je lijkt wel een verliefde bakvis, denk ze bij zichzelf. Het is Hidde maar, hoor. Het is vertrouwd. Met hem kan ze juist eindeloos over Bennie praten, daar gaat het om. Maar even later loopt ze toch de trap op naar de slaapkamer, om te kijken wat ze aan zal trekken.

# 32

Als Hidde opkijkt van zijn beeldscherm ziet hij zijn immer opgeruimde collega Dick van de buitenlandredactie langslopen. Hij sjokt naar de koffieautomaat als een olifant op weg naar zijn vaste drinkplaats.

Goed idee, denkt Hidde. Hij schiet overeind en volgt zijn gezette collega op de voet, alsof ze slurf aan staart door de piste lopen.

Bij de coffeecorner geeft Dick hem grijnzend een schouderklopje. 'Ha, speurneus! Zoekt en gij zult vinden, hè?'

Hidde glimlacht geforceerd.

'Goed verhaal, man,' zegt een jonge verslaggever met een Fries accent in het voorbijgaan. Hidde reageert lauwtjes. Als hij Bennie nou gevonden had.

Met een beker koffie gaat hij weer achter zijn bureau zitten. Even snel kijken of crimesite.nl en misdaadjournalist.nl al iets over Bennie hebben. Net als hij beide sites heeft gescand, gaat zijn mobieltje. Hidde schrikt als hij het nummer en de naam ziet: Gideon Hoetink. Niet dat het hem verbaast – eerlijk gezegd had hij niet anders verwacht.

Hidde kan de redactie zo langzamerhand behangen met juridische dreigbrieven van Hoetink & Zn. Om het minste of geringste dreigen de heren namens hun cliënten met een kort geding of, nog erger, een bodemprocedure. Meestal blijft het bij dreigementen, maar toch is het telkens weer schrikken. De hoofdredactie zit niet te wachten op een juridische procedure, en al helemaal niet op een claim van boven de ton. De verzekering heeft ook haar grenzen.

Zou Hoetink bellen namens Haak of in opdracht van Frank? Of laten beiden zich door hem bijstaan? Over de schijn van tegenstrijdige belangen gesproken: misschien moet hij de deken van de Orde van Advocaten eens tippen. Zoals de Friese strafpleiter Willem Anker altijd zegt: 'Je kunt niet met twee benen in één kous.' Hoetink denkt daar anders over: die ziet er geen been in om desnoods tien leden van een en dezelfde vermeende criminele organisatie te verdedigen. Hidde hoort het hem bijna zeggen: 'Gelukkig geldt in Nederland de vrijheid van advocatenkeuze, mijnheer Dantuma. En ze kiezen nog altijd mij.'

'Goedemiddag, met Hidde.'

'Ah, mijnheer Dantuma. Ik bel u namens de heren Haak en Wellink over uw publicatie in het *Zwolsch Dagblad* van jongstleden zaterdag.'

'O...'

'Zonder gedetailleerd op de inhoud van uw stuk in te gaan,' dendert Hoetink door, 'zij u reeds nu meegedeeld dat er feitelijke onjuistheden en onrechtmatige suggesties in zijn geslopen. Namens cliënten houd ik u dan ook aansprakelijk voor alle schade die cliënten als gevolg van uw publicatie hebben geleden, lijden en nog zullen lijden. U hoort nog van mij.'

Het klinkt alsof Hoetink met zijn enigszins afgeknepen stem een standaard repertoire afdraait. Alsof hij een briefje voorleest dat zijn vader in een grijs verleden voor hem heeft opgesteld.

'Kunt u misschien aangeven wat er feitelijk onjuist is, mijnheer Hoetink? In dat geval zijn wij graag bereid een rectificatie te plaatsen. En zoals u weet staat het uw cliënten ook altijd vrij een ingezonden brief te sturen.'

'Ah, mijnheer Dantuma,' klinkt het gemaakt meewarig. 'Denkt u nou echt dat u er zo gemakkelijk mee wegkomt? Mijn cliënten zijn in het geheel niet blij met uw stuk. In afwachting van de toekenning van hun claims zal ik niet aarzelen beslag te laten leggen op uw salaris en uw woning. Ik zie u in de rechtbank. Dag, mijnheer Dantuma.'

Hidde voelt de woede naar boven kruipen. Die Hoetink grossiert zo ongeveer in tegenstrijdige belangen. Yvonne moest eens weten wat die grote Van der Kolk-collectioneur hem nu weer flikte. Aan de ene kant zou hij die Hoetink het liefst met zijn uitgestreken smoel dwars door zijn zogenaamd stijlvolle kantoor slaan. Aan de andere kant: blaffende honden bijten niet.

Hij rommelt wat in de papieren op zijn bureau, zonder ergens naar op zoek te zijn, en bedenkt dan dat hij Henk van Dam nog moet bellen. Nu meteen maar.

'Dag Henk, stoor ik? Nee? Mooi. Zeg, zijn jullie al iets wijzer geworden?'

Aan de andere kant van de lijn slaakt Van Dam een zucht. 'Als je het mij op de man af vraagt, heb ik er een hard hoofd in dat we Van der Kolk überhaupt nog levend terugvinden. Sinds zijn verdwijning hebben we taal noch teken van hem vernomen. Er is niets van zijn rekening afgeschreven. Een ontvoering ligt niet voor de hand, en er is ook geen losgeld gevraagd. En het is ook om de dooie donder geen performance. Maar hij moet toch ergens gebleven zijn!?'

Hidde schrijft driftig mee. Zijn lezers verwachten zo snel mogelijk nieuws. En anders zijn chef wel. Die heeft vandaag al twee keer naar een follow-up geïnformeerd.

Van Dam vindt het altijd prettig even met Hidde te 'sparren'. Hidde weet meer van moord, doodslag en aanverwante zaken dan de meeste rechercheurs.

'Heb jij nog iets gehoord dat voor het onderzoek van belang kan zijn?'

'Ik heb wel wat mailtjes gekregen,' zegt Hidde, 'maar daar zat niks zinnigs tussen. Een enkele lezer maakte de vergelijking met de zaak Holloway. Een moord zonder lijk.'

'Dat is ook toevallig. Daar had de officier het vanmorgen ook nog over.'

'Moeten jullie Peter R. de Vries niet eens inschakelen?' oppert Hidde.

Van Dam reageert met een smalend lachje. 'Dat wil ze niet. Onder geen beding. Pietersen was nou niet bepaald gecharmeerd van het optreden van Peter R. in de zaak Holloway. De manier waarop hij die Van der Sloot meende te moeten ontmaskeren heeft het onderzoek in haar ogen helemaal geen goed gedaan. Ze heeft zo ongeveer een allergie voor die man ontwikkeld.'

Hidde zwijgt. Het is niet kies een collega af te vallen. 'Ik neem aan dat het onderzoek zich vooral op Haak en Frank richt?' oppert hij dan. 'Zou Haak het vuile werk soms hebben laten opknappen door een paar krachtpatsers uit Kroatië? Maar waarom Bennie, in godsnaam? Zou het iets te maken kunnen hebben met die handel van Frank?'

'Je begrijpt dat ik in dit stadium van het onderzoek nog niets kan zeggen, maar ik spreek je niet tegen. Ik wil je één ding meegeven. Wat mij betreft is die oom Ben verdachte af. Hij is geen vriend van Bennie en een rommelaar van de bovenste plank, zeker. En ik heb begrepen dat zijn huis te koop staat omdat hij aanzienlijk goedkoper moet gaan wonen, waarschijnlijk omdat hij destijds een iets te dure schikking heeft getroffen – over een motief zouden we dus niet eens zo lang hoeven na te denken. Maar hij lijkt mij geen crimineel met bloed aan zijn handen. En met zijn alibi voor die zondagavond lijkt ook niks mis. Dat is pertinent bevestigd door die chique ouwe dame, mevrouw Roberts. Voor die twee andere heren zou ik mijn hand echter niet in het vuur willen steken. Die connectie met de bouw van het stadion, al het zwarte geld dat erin omgaat, het algehele gerommel in het voetbalwereldje, ik weet het niet. Ik ben bang dat we eerder te maken hebben met bloed aan de paal dan met bloed op het palet.'

# 33

Van Dam roert in zijn koffie. Suiker oplossen is een kwestie van goed roeren, heeft hij wel eens iemand horen zeggen, maar misdaden oplossen is iets heel anders. Waar het dan wel op aankomt, heeft hij de persoon in kwestie helaas niet horen zeggen. Hoe dan ook, vooralsnog zit er weinig schot in de zaak. De bekendste kunstenaar van Zwolle lijkt wel van de aardbodem verdwenen. Of in elk geval van Zwolse bodem. Hij neemt het plastic lepeltje in zijn mond en tikt ertegen. Het trilt tussen zijn tanden.

Dat telefoontje van Francisca van De Refter wil hem maar niet loslaten. Die Francisca is echt niet het type om zomaar de politie te bellen. Zeker niet als ze Sjakie er eerst ook nog van moet overtuigen. Wat hadden Haak en Frank die avond te bespreken, en vooral: waarover kregen ze uiteindelijk ruzie?

Zou dit spoor iets opleveren? Hij schudt zijn hoofd. Hij weet het niet. Hoe vaak gebeurt het niet dat twee mannen met een glas te veel op ruzie krijgen? Alleen dit zijn toevallig wel twee verdachten in dezelfde zaak. En als Van Dam in zijn imposante loopbaan bij de recherche iets geleerd heeft, is het wel dat je je aan elke strohalm moet vastklampen.

Met Hidde deelt Van Dam de voorliefde voor Engelse misdaadliteratuur. Zijn favoriete speurneus is de oude Sherlock Holmes. Die had niet voor niets altijd een vergrootglas op zak. In een detail kan de oplossing van een ingewikkelde zaak schuilen. Een losse knoop, een verloren muntstuk, een bloedvlekje, een haartje, tegenwoordig zelfs een huidschilfer.

Van Dam pakt de telefoon en vraagt inspecteur Eikenaar eerst een koppel naar Haak te sturen en vervolgens naar Frank.

'Zal ik twee koppels tegelijk sturen? Dan voorkomen we dat

Haak zijn medeverdachte kan waarschuwen, en dat de heren hun verklaringen op elkaar afstemmen.'

'Dat krijgen we dan wel mee over de tap. Stuur maar gewoon hetzelfde koppel. Ze moeten goed opletten of en hoeveel licht er tussen de verklaringen van beide heren zit.'

'Waar gaat het precies om?'

'Francisca Visser van De Refter heeft vanmorgen gebeld met de boodschap dat Haak en Wellink zondagavond bij hen in de zaak woorden hebben gehad, waarop Frank met kwaaie kop het etablissement heeft verlaten. Waarover spraken zij, en waarom gingen ze met ruzie uit elkaar? Als het niks oplevert kunnen we altijd de gastenlijst van die avond nog opvragen. Bij De Refter moet je altijd ver van tevoren reserveren. Wellicht dat andere gasten iets hebben opgevangen.'

'De volgende keer dat ze daar afspreken, wil ik me wel verdekt opstellen aan een ander tafeltje,' biedt Eikenaar aan.

Nog geen halfuur later staat het door Eikenaar geïnstrueerde koningskoppel Brugmans & Lateur bij Hannes Haak op de stoep.

Of mijnheer kan uitleggen wat er zondagavond in De Refter is gebeurd.

'Wat dan?' zegt Haak. 'Is De Refter soms afgefikt? Zijn ze beroofd? Ik heb niks gelezen in die geweldige courant. Of had die pulpjournalist van een Dantuma soms een atv-dag?'

'Niets van dat alles. We willen alleen graag weten wat u met Frank te bespreken had en waarom u ruzie kreeg.'

Haak heeft moeite zich te beheersen. 'Daar hebben jullie geen zak mee te maken. Ik vraag jullie toch ook niet wat je in je auto met elkaar bespreekt? Frank en ik zijn zakenpartners in de bouw van het nieuwe stadion, als jullie het nog niet wisten. Dan heb je wel eens wat te bespreken, en dat kan soms hoog oplopen, ja. Vind je het gek?'

Met een hoop kabaal komt Minnie binnenvallen. Ze kijkt met opgetrokken wenkbrauwen naar de twee rechercheurs en valt Haak pardoes om zijn nek.

'Oeps, sorry hoor! Hannes, heb je even?'

'Anders altijd, schat, maar nu even niet. Je ziet toch dat ik hoog bezoek heb? Ga jij maar even de stad in, hier heb je mijn kaartje. Misschien kun je iets spannends voor vanavond kopen.' Dan richt hij zich met een strak gezicht tot het recherchekoppel. 'Heren, ik heb wel iets beters te doen dan herinneringen ophalen aan een warme hap van een dag terug. Als jullie meer willen weten, bel je Hoetink maar.'

De weg naar Giethoorn is rustig. Het toeristenseizoen moet nog op gang komen.

'Toch vreemd dat hij niks wou zeggen', zegt Lateur. 'Hij heeft duidelijk iets te verbergen. Ik ben benieuwd of we over de tap nog iets te horen krijgen. Misschien moeten we eens toestemming vragen zijn kantoor rechtstreeks af te luisteren.'

'Ook vreemd dat hij meteen naar zijn advocaat verwijst,' meent Brugmans. 'En dan natuurlijk uitgerekend weer Hoetink. Konden we die maar eens afluisteren! Dan konden we waarschijnlijk in één keer een heleboel zaakjes oplossen.'

'Giethoorn. U nadert uw bestemming. Volgende afslag links.'

Brugmans luistert gedwee naar zijn nieuwe TomTom.

'Bestemming bereikt.'

Het hekwerk van de villa is opengeschoven. Net als ze zich willen melden, zien ze Frank in zijn Porsche Cayenne stappen. Ho ho, dat is niet de afspraak! Hij zou netjes wachten, zei hij over de telefoon. Brugmans trekt aan de handrem en beiden stappen uit.

'Heren, sorry,' roept Wellink boven het brullen van zijn motor uit. En als de motor iets rustiger draait: 'Ik moet plotseling weg. Ik heb een dringende afspraak met mijn advocaat.'

Brugmans kijkt hem doordringend aan. 'We willen alleen iets weten over uw afspraak met Haak afgelopen zondagavond in De Refter.'

'O ja? Wat dan?'

'Waar u ruzie over had.'

'Ach, ruzie, ruzie... De wijn viel niet goed. Bovendien had ik sterk de indruk dat Haak zo snel mogelijk naar zijn nieuwe vlam wilde.'

'Hebben jullie het nog over dat stuk in het *Zwolsch Dagblad* gehad?'

Frank kijkt verbaasd. 'Ja, wat dacht je? Het is niet niks als je zo door het slijk wordt gehaald. We hebben het er nog even over gehad om die krant samen aan te klagen. Daar ga ik het nou net met Gideon Hoetink over hebben. Wat mij betreft wordt het hoog tijd dat we die Dantuma eens op zijn nummer zetten. Ik vind het ook erg wat er met Bennie is gebeurd, maar dat hoeft hij ons nog niet in de schoenen te schuiven.'

'Wat is er met Bennie gebeurd dan?'

'Heren, ik moet nu echt gaan. Anders krijg ik nog stront met Hoetink.' Hij knipoogt. 'Veel succes met jullie speurtocht. Geef maar een seintje als jullie Bennie gevonden hebben, ik hoor het graag. En als jullie nou even ophoepelen, kan ik dat hek dichtdoen.'

Het gaat niet van harte, maar ze besluiten hem toch zijn zin te geven. Buiten het hek zetten ze de auto even in de berm tot de Porsche hen gepasseerd is, en dan rijden ze er met een keurige snelheid achteraan. De Porsche is verdacht snel uit het oog verdwenen.

# 34

'Wie is dat dan?' vraagt Max vanachter zijn pannenkoek met jam. Yvonne heeft hem duidelijk gemaakt dat hij deze keer in zijn eentje moet eten, omdat ze iemand op bezoek krijgt met wie zij samen gaat eten.

'Hidde,' zegt ze. 'Die ken je toch wel?'

'Wie is Hidde?' vraagt Max, op dat toontje dat aangeeft dat hij elk antwoord met een wedervraag zal weten te pareren.

'Dat weet je best. Een oude vriend van me. Ik ken Hidde al heel lang. En jij kent hem ook best. En nou moet je die pannenkoek opeten, anders wordt hij koud.'

'Is hij net zo oud als opa?'

'Nee, niet zó oud.'

'Als papa?'

'Nee, ook niet,' zegt Yvonne, verrast dat hij over papa begint zonder te vragen wanneer hij weer terugkomt. Het duurt immers wel erg lang. Ze is blij dat ze hem meteen iets op de mouw heeft gespeld wat kennelijk geloofwaardig was. 'Net zo oud als ik.' Ze snijdt een stukje van de opgerolde pannenkoek af en prikt het aan een vork. 'Of iets ouder. Kijk 's.'

'Nee, dat kan ik zelf,' zegt Max.

'Daar merk ik anders weinig van.'

Als de bel gaat, springt ze op. 'Daar zul je hem hebben,' hoort ze zichzelf zeggen. 'Je mag nog even tv-kijken, hè, maar dan moet je naar bed,' voegt ze er onderweg naar de gang aan toe.

Ze stuift bijna de trap af en trekt de deur open.

'Ha, Hidde.'

'Hoi. Yvonne.'

'Kom binnen.' Ze gaat met haar rug tegen de muur staan. Hidde komt binnen en Yvonne duwt de deur achter hem dicht. 'En, heb je nog gebeld?'

'Ja, maar veel nieuws was er niet. Er zit nog weinig schot in de zaak.'

'O.'

'Helaas. Ze hebben natuurlijk wel wat voor de hand liggende verdenkingen, maar dat is het wel zo'n beetje. Ze hebben geen spoor van bewijs van wat dan ook. Behalve dat bloed op zijn palet, dan. En de honden die aansloegen bij het stadion.'

Yvonne slaakt een zucht. 'En wat is nou jouw idee?'

'Tja.' Hidde aarzelt even. 'Ik eh... ik weet het niet. Echt niet. Maar heel eerlijk gezegd heb ik er wel een beetje een hard hoofd in. Het is moeilijk.'

Yvonne knikt.

In een opwelling houdt Hidde haar de bos bloemen voor die hij al die tijd in zijn handen had. 'Die heb ik voor je meegenomen.'

Yvonne neemt ze aan en probeert te glimlachen. 'Dank je.' Het komt er wat lauwtjes uit. Het zijn mooie, lange rozen, diep donkerrood, met stevige, kaarsrechte stelen. 'Sorry dat ik niet wat enthousiaster reageer, hoor, maar het is ook zo'n rare dag.'

'En een rare tijd,' voegt Hidde eraan toe.

Max staat in de deuropening van de kamer naar het trapgat te kijken.

'Kijk eens, Max,' zegt Yvonne, als ze boven komt. 'Dit is nou Hidde. Weet je het weer?'

Hidde komt achter haar aan. 'Ha! Max!'

Max kijkt hem aandachtig aan.

'Kijk eens wat een mooie bloemen ik van Hidde heb gekregen,' zegt Yvonne.

Max kijkt onbewogen naar het boeket en drukt zijn gezicht in haar rok.

Even later zit Hidde achter een glas wijn aan de keukentafel en zet Yvonne een pan op het vuur.

'Mama.'

Yvonne draait zich om. Max staat met een boek in de deuropening. 'Wat is er?'

'Ga je me voorlezen?'

'Nee, Max. Wat hadden we nou afgesproken?'

'Wat is dat voor boek?' zegt Hidde. 'Dat is toch niet toevallig dat boek over die mol die wil weten wie er op zijn kop gepoept heeft?'

'Ken je dat?' vraagt Yvonne.

'Nou en of ik dat ken. Dat heb ik zo vaak aan mijn neefjes en nichtjes voorgelezen. Die konden er geen genoeg van krijgen.'

'O?'

'Zal ik Max even voorlezen?' biedt Hidde aan. 'Als je wilt, tenminste,' voegt hij er tegen Max aan toe.

'Nou, dat hoeft anders niet, hoor.' Yvonne wil zich al streng tot Max richten, maar Hidde komt tussenbeide.

'En als ik dat nou leuk vind?' zegt Hidde.

Yvonne kijkt even van de een naar de ander. 'Nou, vooruit. Als jij het wilt, Max?'

'Jawel,' zegt Max dapper. 'Mag het hier ook? Alsjeblieft?'

'Nee, niks,' zegt Yvonne. 'Wel naar boven. Naar bed, oké? Anders blijft hij hier eindeloos rondhangen,' voegt ze er op zachte toon voor Hidde aan toe.

'Nou, kom op dan, Max. Laat me je kamer maar eens zien.'

'Kom je straks?' vraagt Max voor hij Hidde mee naar boven troont.

'Ja, natuurlijk,' zegt Yvonne.

Hidde geeft haar een knipoog en loopt achter Max aan naar de trap. 'Hierheen,' hoort ze Max zeggen. Ze zou wel willen glimlachen, maar het lukt niet helemaal. In haar hoofd loopt alles door elkaar: Bennie, het zoontje dat Hidde zelf is verloren. Wat zou er nou door Hidde heen gaan? Hij heeft het er eigenlijk nooit over.

'Nou. Dat was een groot succes,' zegt Hidde als hij een poosje later weer binnenkomt. 'Rooie oortjes.'

'Ja?' Yvonne pakt een braadpan en zet die op het ouderwetse fornuis. 'Ga ik ook nog even bij hem kijken. Ik ben zo terug.'

Als Yvonne een tevreden Max nog eens lekker heeft ingestopt, loopt ze naar de deur. 'Fijn dat Hidde je heeft voorgelezen, hè?' zegt ze. 'En nou ga ik koken, hoor.'

'Wat eten jullie?' vraagt Max.

'Dat heb ik toch al gezegd?'

'Ik ben het vergeten.'

Begin jij ook al, denkt Yvonne. 'Chili con carne.'

'Wat is dat?'

'Dát zal ik je morgen uitleggen, oké? En mooi blijven liggen, hoor. Niet uit bed komen.'

'Ook niet als ik moet plassen?'

'Ja, dan wel natuurlijk. Nou lekker slapen, hè?'

'Tot morgen.'

'Tot morgen.' Na een laatste kusje loopt Yvonne naar de deur en trekt die achter zich dicht. Ze blijft even staan alvorens de trap af te lopen. Hidde zit in de keuken, en dat voelt goed. Veilig.

'Hoe is het met je boek eigenlijk?' vraagt Hidde als Yvonne weer terug is.

'Welk bedoel je?' Ze pakt een snijplank uit een la. 'Ik bedoel...'

'Zeg jij het maar.'

'Nou, de vertaalrechten voor mijn eerste boek zijn toevallig net aan Duitsland verkocht, aan een mooie uitgever, maar dat was vlak voor Bennie van de aardbodem verdween.'

'O ja? Dus Bennie weet nog van niks?'

'Nee. Ik hoorde het die zondagavond pas, mijn uitgever was naar de beurs in Bologna, hij belde net voordat Bennie opeens weg was.'

'Hm,' zegt Hidde.

Yvonne zet een keukenmachine op het aanrecht. 'Hou je eigenlijk van chili con carne?' vraagt ze.

'Chili con carne! Nou, dat is wel heel lang geleden! Ik vond het altijd wel lekker.'

'Ja, hè? Maar ik maak het wel iets anders, hoor. Met zelfgemaakt gehakt van bieflapjes, en met kidneybonen.'

'Klinkt goed.'

'En met gedroogde tomaatjes op olie in plaats van tomatenpuree.'

'Aha.'

'Ook zelf gepureerd.' Yvonne moet lachen om het gezicht van Hidde, dat langzaam begint te stralen.

'Nou, ik kan bijna niet wachten,' zegt hij vergenoegd.

Yvonne schakelt de keukenmachine in en even is er te veel lawaai om te kunnen praten.

'Waar is Joop eigenlijk?' zegt Hidde zodra het apparaat is uitgeraasd.

'O jee, had ik dat nog niet verteld? Die is vanmorgen opgenomen in de Meent.' Ze schudt de kom van de keukenmachine leeg op een snijplank en zet het vuur onder de braadpan aan. 'Het ging niet meer. Zonder Bennie. Ik zit ook al met Max, of nou ja, ik zit niet met hem,' verduidelijkt ze, terwijl ze de pan even van het vuur haalt en de olie over de bodem laat glijden, 'maar ik bedoel, ik heb al een kind, begrijp je wel, dat is punt één, en ik moet óók nog eens oppassen dat hem niks overkomt. Joop stond hier een paar dagen geleden met zó'n vleesmes een boterham te smeren.' Ze houdt haar handen een eind uit elkaar, als een visser die vertelt wat hij wel niet aan de haak heeft geslagen. 'Stel dat hij kwaad wordt met zo'n ding in z'n hand. Dat kan zomaar gebeuren.'

'Dat moet je niet hebben.'

'... met die rotziekte.' Ze kijkt even of de olie heet genoeg is en schuift het gehakt in de pan.

'Je weet dat ik het vervelend vond de politie over Frank in te lichten, hè?'

'Ja.'

'Is dat geen veeg teken, vroeg ik me laatst af. Ik bedoel, hij is de enige van wie ik het vervelend vond om zijn naam te noemen, omdat ik inderdaad een beetje bang was. Dat had ik met oom Ben helemaal niet. Dat zegt toch wel iets?'

'Ja, maar wat dan?'

'Nou ja, ik bedoel: kennelijk ben ik ergens toch ook bang voor Frank. En iemand voor wie je bang bent...'

'O, bedoel je dat.'

'Ik weet nog hoe erg Bennie het vond, toen hij hoorde dat al dat geld dat Frank altijd maar had, en waar hij zelf ook altijd van mocht lenen, dat dat drugsgeld was. En dat hij dat zomaar opeens te horen kreeg. Hij had het gevoel dat hij met iets belast werd waar hij niks mee te maken wilde hebben en wat hij eigenlijk niet eens had willen weten. Omdat hij zo in zekere zin toch medeplichtig werd, begrijp je wel?'

'Ik snap het.'

'En als je weet hoe Frank woont, hoe hij leeft, en hoe gehecht hij daaraan is, dan snap je ook dat Frank het op zijn zachtst gezegd helemaal niet fijn zou vinden als hij de politie op zijn dak kreeg.'

'Nee, dat zal best,' zegt Hidde. 'Maar dat is zijn probleem.'

'Niet alleen zijn probleem. Ik zit er ook mee.'

'Nou ja, dat is ook wel terecht. Maar er is ook nogal wat aan de hand, al weten we niet precies wat.'

Yvonne kijkt uit het raam en probeert haar tranen te bedwingen, maar er glijdt er toch een langs haar neus. Hidde steekt zijn hand uit over de tafel en legt die op haar hand.

'Frank heeft het er toevallig wel eens over gehad, hier aan deze tafel. Dat iemand die alzheimer had eigenlijk vermist raakte. Het is niet helemaal hetzelfde, natuurlijk, maar de overeenkomst is wel dat degene om wie het gaat nog niet dood is, maar er eigenlijk ook niet meer is.'

'Ja, dat is wel zo,' zegt Hidde, 'maar het verschil is: van Joop weet je waar hij zit, van Bennie niet.'

Yvonne schudt haar hoofd en laat haar tranen nu gewoon lopen. Geluidloos. Hidde knijpt zachtjes in haar hand. Yvonne draait haar hand om zodat ze hand in hand zitten.

'Ben jij niet bang voor hem?' vraagt ze op een gegeven moment. Ze geeft hem een kneepje in zijn hand en laat hem weer los.

'Nou, nee, bang niet. Hoewel dat misschien niet eens onverstandig zou zijn. Maar ik kan het me gewoon niet veroorloven. Ik probeer wel altijd voorzichtig te zijn, natuurlijk. Als ik zo'n stuk schrijf als afgelopen zaterdag.'

'Dat moet je ook doen.' Yvonne glimlacht flauwtjes naar hem.

'Weet je wat ik bedacht had?' zegt Hidde.

'Nou?'

'Dat ik misschien nog eens met Frank moest gaan praten.'

'Jij?'

'Ja. Waarom niet?'

'Zou je dat niet liever aan de politie overlaten?'

'Liever wel, ja. Maar je hoeft niet bang te zijn, hoor. Journalisten zijn niet de eerst aangewezen personen om moeilijk tegen te doen. Een beetje crimineel denkt algauw: daar kan ik misschien nog iets aan hebben. Of ze vinden het sowieso wel interessant.'

'Als het jou goed lijkt.'

'Het gaat erom dat we erachter komen wat er met Bennie is gebeurd.'

'Ja, ik weet het. Maar hoe sta jij dan tegenover oom Ben, bijvoorbeeld? Die belde me nota bene nog op om te vragen waar ik mee bezig was.'

'Waar jij mee bezig was?'

'Ja. Hij insinueerde zo ongeveer dat ik Bennie liever kwijt zou zijn dan rijk.'

'Nou, dat schijnt voor hem in elk geval wel te gelden. Kijk, je moet natuurlijk niks uitsluiten. En het is ook inderdaad vaak zo dat de dader van een ernstig misdrijf binnen de familie gezocht moet worden ... Maar in dit geval... ome Ben schijnt toch een alibi te hebben dat hem vrijpleit, al is dat hele alibi strikt genomen misschien ook best verdacht, gezien zijn verleden met bemiddelde oude dames, zal ik maar zeggen. Maar een alibi is een alibi. En dan dat hele gedoe met dat stadion, en dat zwarte geld, en alle andere onfrisheid die tegenwoordig om het voetbal heen hangt...'

'Je bedoelt dat Bennie misschien "te veel wist"?'

'Zoiets.'

'Maar dat geldt ook voor oom Ben. Ik bedoel, van hem wist Bennie ook net iets te veel naar zijn zin.'

'Dat is ook zo. Daarom sluit ik zijn oom ook niet uit. En Haak evenmin.'

'En verder?'

'Nou, verder weet ik het niet.'

'Misschien nog iemand anders van het Palet?'

'Zou ook nog kunnen. Bennie heeft natuurlijk nooit al te veel moeite gedaan zich daar geliefd te maken.' Of juist wel, denkt hij erbij, met in zijn achterhoofd de gedachte aan eventueel gerommel met andere vrouwen, een gedachte waar hij van baalt, al is het maar omdat hij hem niet durft uit te spreken, niet tegenover Yvonne.

'Nee,' beaamt Yvonne, 'althans niet op een slijmerige manier, maar hij draagt het Palet toch een warm hart toe.'

'Dat geloof ik ook wel.'

'En niet alleen omdat hij daar nou zo'n goedkoop atelier heeft.'

Hidde moet lachen. 'Ik begrijp dat de meningen daarover uiteenlopen.'

Yvonne glimlacht weer flauwtjes. 'Ja. Dat doen de meningen wel vaker op het Palet.'

'En bij iedere andere vereniging in het land,' voegt Hidde er relativerend aan toe. Hij neemt nog een paar happen. 'Dat smaakte verduiveld goed,' zegt hij. 'En als ik een heel burgerlijke vraag mag stellen: zal ik even helpen met de afwas?'

'Nou, je krijgt eerst nog een dessert. En je zou het niet zeggen als je die oude keuken ziet, maar we hebben wel degelijk een afwasmachine. Uit de kringloop, weliswaar, maar hij doet het.'

'Ah. Dat scheelt weer. Misschien moet ik eerst Frank maar eens bellen dan.'

'Wat je wilt. Dan ruim ik dit even op.'

'Ik wil wel even helpen.'

'Nee, ga jij maar bellen. Dit is zo gebeurd.'


'Helaas. Meneer neemt niet op. Druk, druk, druk, zullen we maar zeggen.'

'Nou, dan neem je toch een lekker toetje? Je houdt toch wel van mangosorbet?'

Wauw,' zegt Hidde.

Tegen het eind van de avond komt het onvermijdelijke moment om afscheid te nemen. 'Het was reuze gezellig,' zegt Hidde. 'En lekker.'

'Dank je. Vond ik ook. Gezellig, bedoel ik.'

'We houden contact. Ik zal in elk geval doen wat ik kan om te zorgen dat de zaak niet in de vergetelheid raakt.'

Yvonne zegt niks. Hidde loopt naar de gang en trekt zijn jas aan.

Ze geven elkaar netjes drie zoenen, Hidde loopt de trap af en Yvonne loopt achter hem aan. Ze voelt zich net een klein meisje dat eigenlijk in bed hoort te liggen. Voor Hidde de deur opendoet zegt ze: 'Hidde.'

'Ja?'

'Ik, zou je willen blijven slapen? Ik vind het zo akelig om vannacht alleen te zijn.' Ze hoort het zichzelf zeggen, maar ze kan er niks aan doen.

'Jawel, maar...'

'Ik kan het bed van Joop voor je opmaken.'

'Nou ja, als je dat liever hebt.'

'Ja. Dat heb ik liever.'

Vrouwen weten altijd zo goed wat ze liever hebben, denkt Hidde. 'Goed.'

'Je vindt het toch niet erg?' vraagt Yvonne nog eens als ze weer boven staan.

'Nee, hoor.'

'Voor mijn gevoel kan Bennie nog elk moment thuiskomen, begrijp je wel?'

'Natuurlijk.' Hij krijgt opeens een wee gevoel in zijn maag.

# 35

'Het zal best dat oom Ben voor de politie als verdachte afvalt,' zegt Yvonne als ze in de keuken zitten te ontbijten, 'maar na wat jij gisteravond zei, dat het toch echt wel professionals moeten zijn die achter de verdwijning van Bennie zitten, en dat oom Ben het nooit voor elkaar zou hebben gekregen Bennie spoorloos te laten verdwijnen, heb ik vannacht zeker wel tien scenario's liggen bedenken waarin die oude oplichter het toch voor elkaar kreeg.'

'Ja, maar daar ben je dan ook schrijfster voor,' voert Hidde aan.

Yvonne glimlacht en bijt in een cracker met kaas.

Hidde kijkt haar met eenzelfde glimlach aan. 'Ik bedoel, je kunt op zich alles verzinnen, en het is waar dat de realiteit vaak de stoutste verwachtingen overtreft, maar je moet toch ook een zekere mate van waarschijnlijkheid in acht nemen.'

'Ik bedoel,' zegt Hidde, 'natuurlijk, we weten allebei dat Bennie nogal wat vijanden had. Bij het Palet, en daarbuiten. Maar je hebt vijanden en vijanden. Je hebt vijanden die gewoon een hekel aan je hebben, meer niet, en je hebt vijanden die op een of andere manier iets van je te vrezen hebben, of dat op zijn minst denken.'

'Dat had je nou niet moeten zeggen,' zegt Yvonne.

'Wat dan?'

'Nou, ik weet niet. Misschien heeft oom Ben wel degelijk iets te vrezen van Bennie. Het is wel oorlog tussen die twee, al is het dan een koude oorlog. Ik weet niet wat oom Ben allemaal geflikt heeft, althans, ik weet niet alles, maar de dingen die ik gehoord heb, daar maakte Bennie zich in elk geval heel kwaad om.'

'Misschien heeft Bennie wel een aanvaring met hem gehad,' vervolgt ze. 'Weet ik veel, misschien is oom Ben wel weer met weet ik wat voor praktijken bezig en is Bennie daarachter gekomen en heeft hij gezegd dat hij, weet ik veel, dat hij daarmee op moest houden omdat hij anders naar de politie zou gaan. Zoiets.'

Hidde neemt een laatste slok koffie. 'Ja, dat bedoel ik. Jij kunt wel van alles verzinnen, daar ben je heel goed in, maar Frank en meneer Haak vallen echt in een andere categorie. En het feit dat Bennie die zondagavond net met dat portret van Haak bezig was...'

'Ja, dat is zo, maar weet je...'

'Nou?'

'Ik heb me wel eens afgevraagd of oom Ben niet altijd stiekem gewoon stinkend jaloers is geweest op Joop.'

'Wat dan?'

'Nou, Joop heeft van de kunst zijn beroep kunnen maken, wat oom Ben niet mocht van zijn vader, als oudste. Toen hij op latere leeftijd weer ging schilderen, schijnt hij vaak genoeg gezegd te hebben dat hij dat veel eerder had moeten doen.' Ze glimlacht even. 'Waarop Bennie dan natuurlijk weer zei: was hij er maar nooit aan begonnen.'

'Maar als hij jaloers is op Joop, waarom zou hij daar dan nu iets mee doen, nu Joop het bijna niet eens meer doorheeft?'

'Je hebt gelijk. Het zal ook wel onzin zijn. Ik dacht: dan heeft Joop een zoon die succes heeft als kunstenaar, terwijl Ben, heb ik begrepen, geen kinderen kan krijgen.'

'Tja,' zegt Hidde.

Yvonne zucht even. 'Bij de politie zullen ze heus wel weten wat ze doen, en bovendien, ze hebben natuurlijk met oom Ben gepraat, dat is logisch. Wil je nog een kopje? Het is het laatste...' Ze kijkt Hidde opeens geschrokken aan. 'O, shit. Zo meteen komen die familierechercheurs. Dat was ik bijna vergeten. En ik heb geen koffie meer.'

'Dan geef je ze toch thee.'

'Thee,' zegt Yvonne. 'Nee. Ik ren wel even snel naar de winkel. Ik kleed me vlug aan, ik ben zo terug.'

'Zal ik dat anders even doen?' biedt Hidde aan.

'Nee, ben je gek. Mijn koffie is op, niet de jouwe.'

'Nou en?' zegt Hidde.

'Hm. Oké.'

Vijf minuten later staat Hidde met een pak koffie voor de deur. Yvonne doet open. Boven in de gang staan een man en een vrouw. Ze kijken naar hem, en naar het pak koffie dat hij bij zich heeft.

'De koffiekoerier,' zegt Hidde.

'Eh, dit zijn de familierechercheurs,' zegt Yvonne.

'Andrea Mulder,' zegt de vrouw, 'en dit is mijn collega, René van der Meer.'

Hidde stelt zich aan beide rechercheurs voor en overhandigt Yvonne het pak koffie.

'Even koffie zetten,' kondigt Yvonne aan.

'Daar komen we niet voor,' zegt Van der Meer.

'... maar een vers bakkie?' zegt Mulder.

'U bent toch van het *Zwolsch Dagblad*?' zegt Van der Meer, als ze met zijn allen naar de keuken lopen.

'Zeker,' beaamt Hidde.

'U bent de schrijver van dat artikel dat zaterdag in de krant stond,' constateert Andrea Mulder.

'Klopt.'

'En u kent elkaar,' zegt Mulder, van Hidde naar Yvonne kijkend.

'Zeker,' zegt Yvonne, 'we kennen elkaar al heel lang.'

'Nog vanuit onze studietijd,' voegt Hidde eraan toe.

'Ach zo,' zegt Van der Meer.

Hidde ziet het woord 'belangenverstrengeling' in bloedrode letters boven zijn hoofd zweven en weet even niet wat hij moet zeggen. Het ontgaat hem niet dat Van der Meer bij het betreden van de keuken eerst naar de beide bordjes en kopjes op de tafel kijkt en dan een blik op zijn collega werpt. Mulder lijkt er niet op te reageren.

Even later, tijdens een wel heel geurig kopje koffie, stellen de rechercheurs Yvonne enkele vragen die ze al eerder gesteld hebben, in de hoop dat er nu misschien iets meer naar boven is gekomen of duidelijk is geworden. Mensen die zich opeens anders gedragen, eventuele schulden van Bennie die aan het licht zijn gekomen, dingen die haar te binnen zijn geschoten waar ze eerder niet aan gedacht had, eventuele opmerkingen van Joop.

Hidde hoort het aan zonder zich in het gesprek te mengen. Hij baalt er toch van dat die twee hem hier zo zien. Terwijl hij nog wel keurig op de kamer van Joop heeft geslapen!

# 36

Mulder en Van der Meer banjeren over de Melkmarkt. Het is een stralende ochtend, maar de wind is nog steeds koud, zelfs als ze de zonzijde van de straat opzoeken.

'Ik vraag me af hoe het met die schilderijen van Van der Kolk gaat,' zegt Van der Meer als ze ter hoogte van het Stedelijk Museum lopen. 'Met die portretten.'

'Nou, met die portretten wel goed, denk ik,' zegt Mulder. 'Wat een kouwe wind, zeg.'

'Ja. Maar die portretten, die zouden volgens mij eerst daar te zien zijn,' vervolgt Van der Meer met een knikje naar het museum, 'voor ze naar het nieuwe stadion gaan.'

'O ja?'

'Ja. Alleen of dat nou nog gaat gebeuren? Ik weet niet eens of Van der Kolk ze wel allemaal af heeft.'

'Nee. Daar zeg je wat,' zegt Mulder. 'Zeg, ik ga even Van Dam bellen. Ik wil het toch even melden van die Dantuma.' Ze blijven staan. Als er wordt opgenomen, luistert Andrea even. Dan verbreekt ze de verbinding weer. 'Oké. Even in bespreking,' zegt ze tegen Van der Meer. 'Ik probeer het zo nog een keer.'

Even naar de plee, zeker, denkt Van der Meer. Als Mulder een man was geweest, had hij dat gezegd ook.

Als ze weer terugslenteren, zien ze verderop de deur van huize Van der Kolk opengaan en Hidde in de deuropening verschijnen. Hij buigt zich naar binnen.

'Ah. Onze verslaggever verlaat het pand,' concludeert Van der Meer.

Hidde loopt naar zijn *Zwolsch Dagblad*-fiets, haalt hem van het slot en wil opstappen, maar blijft dan staan. Hij kijkt even, voelt aan de voorband, zet de fiets weer tegen de pui en verdwijnt in de deuropening.

Nieuwsgierig lopen Van der Meer en Mulder naar de opzichtige blauwe fiets.

'Ah,' zegt Van der Meer. 'Band doorgesneden.'

'Gezellig,' zegt Mulder.

Op dat moment gaat de voordeur weer open. Hidde komt naar buiten en Yvonne blijft op de drempel staan.

'Te laat, te laat,' zegt Hidde tegen de twee rechercheurs. 'Het kwaad is al geschied. Maar zeg eens, wat vinden jullie van mijn nieuwe kunstwerk?'

'Kunstwerk?' vraagt Van der Meer.

'Ja, kunstwerk. Het heet: "Confrontatie met de werkelijkheid." '

'Ah,' zegt Van der Meer.

'Ik maak een grapje. De werkelijkheid is: een of andere klootzak heeft mijn voorband kapotgesneden.'

'Heb je daar vaker last van?' informeert Mulder.

'Nee, gelukkig niet.' Hij kijkt even om naar Yvonne.

'Echt niet?'

'Ja, hoor eens,' zegt Hidde een beetje geïrriteerd.

'Ik vraag het maar.'

'Niet dat ik weet, oké? Ik weet alleen dat dit stomvervelend is.'

Op dat moment gaat de telefoon van Mulder. Ze haalt haar schouders op, glimlacht verontschuldigend naar Yvonne en loopt bij Hidde weg. Van der Meer drentelt achter haar aan.

'Andrea Mulder.'

'Van Dam. Je had gebeld?'

'Ja, we zijn net bij Yvonne van der Kolk geweest, en we wilden toch even melden dat als we ons niet heel erg vergissen, Hidde Dantuma, van het *Zwolsch Dagblad*, de nacht bij haar heeft doorgebracht.'

'O?' zegt Van Dam. 'En de kans dat jullie je heel erg vergissen?'

'Die is in dit geval heel erg klein.'

'Oké. Hm. Nou. Dat was het?'

'Dat was het voornaamste.'

'Wou je zeggen dat er iets is tussen die twee?' vraagt Van Dam dan vlug, alsof hij opeens bekropen wordt door de angst met allerlei vraagtekens te blijven zitten.

'Daar heeft het alle schijn van, ja.'

'Hm. Goed. Nou. Bedankt.'

'En dan nog iets,' zegt Mulder.

'Ja?'

'We staan hier nog op de markt en zien net Dantuma naar buiten komen en tot de ontdekking komen dat een van zijn banden is lek gestoken. Van zijn fiets,' voegt ze er snel aan toe als ze Van Dam naar adem hoort happen.

'Van zijn fiets,' papegaait Van Dam.

'Ja. En dat zal dan gebeurd zijn, toen Dantuma bij mevrouw Van der Kolk was.'

'O?'

'We weten alleen niet of het daar iets mee te maken heeft, misschien was het gewoon iemand met een hekel aan het *Zwolsch Dagblad*.'

Hidde heeft zijn fiets naar de fietsenmaker aan de Luttekestraat gebracht en vervolgt zijn weg op een leenfiets. Ook zo'n opvallende, knalblauwe fiets, alleen nu niet met '*Zwolsch Dagblad*' erop, maar met 'leenfiets'. Het visitekaartje dat in de snee in zijn band gestoken was, heeft hij nog op zak. Hij heeft het snel bekeken en toen weggestopt. Dat hoefde Yvonne niet te zien, het was zo al ingewikkeld genoeg.

Het was me anders wel een logeerpartijtje vannacht. Hij is niet eens met Yvonne naar bed geweest, maar wat niet is, kan nog komen. Toch? Of draai ik mezelf nou een rad voor ogen? Wat is er eigenlijk aan de hand? Zoekt ze nou alleen troost bij mij of is er meer? En ik? Wat is dat bij mij? Ben ik nou verliefd aan het worden, of is het alleen zo dat Yvonne, een vrouw alleen met een zoontje... Hoewel... Stel dat Bennie vandaag of morgen doodleuk weer opduikt.

Onwillekeurig denkt Hidde aan zijn moordlijst. Zijn databank.

Een lijst met droge feiten. 'Heb je je feiten al op het droge?' vraagt zijn collega Dick wel eens voor de grap. Dat is voor een journalist wel zo prettig, je feiten op het droge... En helemaal voor een journalist voor wie er zoveel op het spel staat als voor mij, bedenkt Hidde wrang. Maar hij hééft helemaal niks op het droge. Niet wat Bennie betreft, en al helemaal niet wat Yvonne betreft. Moet Bennie nou op de lijst of niet? Of nog niet?

'Hé, kan je niet uitkijken?' roept een jongen die hij bijna van de sokken rijdt.

'Sorry,' zegt Hidde, en hij rijdt door. De jongen moet overdreven hard lachen.


Op de redactie aangekomen gaat Hidde meteen achter zijn bureau zitten om Frank te bellen. Als hij aan zijn lekgestoken band denkt, voelt hij de irritatie weer opkomen. Terwijl de telefoon overgaat, maakt hij snel een notitie: Yvonne bellen, samen naar Joop.

'Hallo?' klinkt het.

'Hé, je kan ook gewoon je naam zeggen.'

'Met wie spreek ik?'

'Hidde Dantuma. En met wie spreek ik?'

'Ah. Onze lefgozer van de krant.'

'Precies. En ervan uitgaande dat ik met ene Frank Wellink spreek: je hebt mijn stuk gelezen, begrijp ik.'

'Ja, dat kon me nauwelijks ontgaan. Interessant, hoor.'

'Vond je?'

'Ja. Vooral over die vrienden van Bennie. Zocht hij het gevaar een beetje op? Begrijp ik dat goed?'

'Dat weet ik niet. Ik dacht dat jij daar misschien iets over kon zeggen.'

'Ik zou niet weten wat.'

'Ik zou toch wel eens met je willen praten.'

'Waarover?'

'Nou, onder meer over Bennie.'

'Daar heb ik anders verdomd weinig over te melden.'

'Die performance van Bennie bij de eerste betonstorting van het nieuwe stadion, heb je daar ook "verdomd weinig" over te melden?'

'Ja. Wat dan?'

'Ook niet bijvoorbeeld van wie die helikopter was? Ik heb jouw naam horen noemen.'

'O ja?'

'Heeft Bennie je daar wel netjes voor betaald?'

'Ik heb met Bennie helemaal geen probleem, afgezien van het feit dat hij zich ver boven mij verheven voelt.'

'Tja, moet je hem ook niet in een helikopter zetten. Maar als je geen probleem met hem hebt, kunnen we toch gewoon praten?'

'Jij werkt toch bij de krant, of niet?'

'Dat heb je goed onthouden.'

'Zou je dan niet eens een beetje op de nieuwswaarde gaan letten? Je kunt wel met jan en alleman gaan zitten kleppen, maar dan moet je toch op zijn minst een idee hebben dat er iets uit te halen valt wat voor je lezertjes interessant is.'

'Dat heb ik ook wel.'

'O ja? Dan moet ik je teleurstellen.'

'Jammer, maar dat doe je wel vaker. Want het mag toch gerust teleurstellend heten, als iemand zomaar je fietsband lek prikt. Was dat nou echt nodig?'

'Was wat nou echt nodig?'

'Die fietsband van mij.'

'Wat is dit? Ben je met een nieuw artikel bezig of zo?'

'Altijd. Maar nu even niet.'

'O, je roept gewoon maar wat. Had je al aan de mogelijkheid gedacht dat Bennie die band misschien wel heeft lek gestoken? In zijn hoedanigheid van jaloerse echtgenoot?'

'O? En dat hij jouw visitekaartje erin heeft gestoken? Om jou de schuld in de schoenen te schuiven? Daar had ik nog niet aan gedacht, nee.'

'Het zou anders maar zo kunnen. Misschien probeert hij mij die hele zogenaamde verdwijning wel in de schoenen te schuiven.'

'Dat lijkt me...'

'Nou moet jij eens goed naar mij luisteren, Datema.'

'Dantuma.

'Dat zeg ik. Ik liep gister toevallig over de Grote Markt in Zwolle toen ik jou daar met een rood hoofd en een bos bloemen op een blauwe fiets zag komen aanfietsen. En ik zag je met dat rode hoofd en die bos bloemen bij Yvonne naar binnen gaan, die daar in dat pand van mij woont, en die blauwe fiets liet je buiten staan. Uren later, het was in elk geval na middernacht, kwam ik daar stomtoevallig weer langs, en wat zie ik? Staat daar nog steeds die fiets. En de lichten boven zijn uit. Nou vind ik het sowieso niet fijn dat jij in een pand van mij komt, en wie la Van der Kolk 's nachts over de vloer haalt moet ze helemaal zelf weten, maar het werpt natuurlijk wel een iets ander licht op dat infame artikel van jou over haar zogenaamd verdwenen echtgenoot.'

'Hoezo zogenaamd verdwenen? Wou je beweren dat hij niet écht verdwenen is?'

'Hoe moet ik dat weten? Laat ik je nog dit zeggen, Datema, ik kán me een landelijk ochtendblad voorstellen dat het best interessant zou vinden: een misdaadjournalist van een regionale krant die een heel verhaal schrijft over de zogenaamde verdwijning van een of andere kunstenmaker en die het intussen stiekem met de achtergebleven vrouw van die kunstenmaker houdt...'

'Zeg, Wellink, wat zijn dit voor insinuaties? Ik zou maar uitkijken, als ik jou was.'

'O ja? Wat is dit? Moet dit een dreigement voorstellen?'

'Ja, in dat soort termen denk jij meteen. Maar ook al zou het waar zijn wat jij denkt, ook al ontvangt Yvonne mij in dat mooie pandje van jou, waar jij krom voor hebt gelegen zullen we maar zeggen, dan geeft jou dat nog niet het recht mijn band lek te prikken.'

'O? Is dat zo? Neem me niet kwalijk, ik dacht het even.' Frank moet zelf lachen.

'Als je me nog één keer zoiets flikt, ga ik ermee naar de politie.'

'Doe dat, jongen. Ze zien je aankomen.'

# 37

'Frank Wellink heeft in de Zwolse onderwereld mensen benaderd die een stevig gesprek kunnen voeren met Hannes Haak. Het zou gaan om een paar jongens uit een coffeeshop.' Die tip is dinsdagochtend binnengekomen bij Meld Misdaad Anoniem en vanwege de dreigende inhoud doorgestuurd naar de recherche in Zwolle. Inspecteur Eikenaar heeft er meteen proces-verbaal van opgemaakt en een kopie naar commissaris Van Dam laten brengen. Dit zou wel eens de gouden tip kunnen zijn. Of in elk geval een gouden tip.

Henk van Dam leest het proces-verbaal voor de zoveelste keer door. Zoals zo vaak levert één tip honderd vragen op. Wie is de tipgever? Hij kan het Openbaar Ministerie natuurlijk verzoeken om het nummer op te vragen waarmee gebeld is, maar tot nu toe heeft de procureur-generaal daar altijd een stokje voor gestoken. Alleen als er sprake is van een werkelijk levensbedreigende situatie, past het OM dit dwangmiddel toe. Maar is daar sprake van?

Even aangenomen dat de tip juist is, wat is een stevig gesprek? Harde woorden? Een paar klappen met een honkbalknuppel? Een rolstoelvonnis middels een paar welgerichte schoten door de knieën? Een liquidatie? In elk geval meer dan een lek gestoken fietsband, bedenkt hij opeens met een flauwe glimlach.

En dan: om welke coffeeshop zou het gaan? Lopen daar huurmoordenaars rond? Zijn het kampers? Marokkanen? Antillianen? Turken? Oost-Europeanen? Witte Nederlanders? Wat hem betreft mogen die tenten vandaag nog allemaal gesloten worden. Die coffeeshops zijn stuk voor stuk broeinesten van criminaliteit – maar dat ze zouden fungeren als uitzendbureau voor beroepskillers, daar heeft hij geen enkele aanwijzing voor.

Niet onbelangrijk: welk motief zou Frank hebben om Haak op wat voor manier dan ook onder handen te laten nemen? Was dat incident in De Refter de aanleiding? Hebben de heren onenigheid over hun investeringen in het nieuwe stadion? Heeft het iets met de verdwijning van Van der Kolk te maken?

De taps op de nummers van Frank en Haak hebben tot nog toe niets opgeleverd. En al helemaal geen aanwijzingen dat er een huurmoord zou zijn gepleegd. Maar wat zegt dat? Frank is slim genoeg om zo'n gesprek niet over de telefoon te voeren. Van Dam baalt dat hij beide verdachten niet een 'staartje' heeft gegeven. Wellicht dat zo'n observatie meer had opgeleverd. Hij pakt de telefoon en belt Hidde.

'Dag Hidde, met Henk. Is je fiets al weer klaar?'

'Ha. Blij dat je me eraan herinnert.'

'Het schoot me maar zo te binnen. Wil je nog aangifte doen?'

'Mwah. Kweenie.'

'Wat nou? Motie van wantrouwen?'

'Nou...'

'Ach, ik begrijp heus wel dat je daar niet meteen mee naar het hoofdbureau komt.'

'Ik ben maar rechtstreeks naar de fietsenmaker gegaan, als je het niet erg vindt.'

'Lijkt me heel verstandig. Maar ik denk wel dat ik een idee heb waar een eventuele dader in de kraag zou kunnen worden gevat. Ik hoor net dat Frank Wellink een paar jongens uit een coffeeshop heeft benaderd om een klusje voor hem op te knappen, en nou zit er bij de familie Van der Kolk om de hoek toevallig ook zo'n etablissement.'

'Ah,' zegt Hidde.

'Dat weet jij ook. Jij komt daar toch geregeld?'

'In die coffeeshop?'

'Nee, bij Van der Kolk. Ik heb gehoord dat jij...'

'Ja ja. Ik denk dat ik wel weet wat jij gehoord hebt. Maar ga er nou alsjeblieft geen gekke dingen van denken.'

'Jij hebt toch niet toevallig iets met Yvonne Tromp?'

'Nee, Henk. Echt niet. Maar we kennen elkaar al heel lang.'

'Ik hoorde dat je de nacht bij haar had doorgebracht.'

'Ja, maar niet in één bed, oké? Ik heb in het bed van de oude Joop geslapen, als je het weten wilt. Dat kwam gewoon zo uit, jezus.'

'Oké, oké,' zegt Van Dam. 'Ik geloof je. En ik belde natuurlijk ook niet vanwege die fiets van jou, hoe schandelijk dat ook is.' Bondig doet hij het verhaal over de tip uit de doeken. 'Zet het nog even niet in de krant,' besluit hij, 'maar wat moeten we hier nou weer mee? Acht jij Frank Wellink in staat tot een liquidatie? En welke rol speelt het nieuwe stadion nou volgens jou?'

Hidde is in de hoogste staat van paraatheid. Dit riekt naar nieuws. Hij weet echter niet goed waar te beginnen. Natuurlijk wil hij dat de zaak wordt opgelost, en het zou al helemaal mooi zijn als Bennie levend en wel terugkwam.

'Ben je daar nog?'

Hidde schrikt op uit zijn overpeinzingen over de wenselijkheid van een eventuele oplossing. 'Ja, ik ben er nog. Ik zocht even naar mijn aantekeningen. Hier. Ik ben op persoonlijke titel al een tijdje bezig met de research voor een groot verhaal over het nieuwe stadion. Daar lijkt me alle reden toe. Nu worden er weer twee belangrijke sponsors verdacht van de verdwijning van de schilder van de eregalerij, die op de avond van zijn verdwijning één van hen over de vloer had, en met de ander ruzie had om geld.'

'Ga door', zegt Van Dam. 'Ik luister en huiver.'

Hidde bladert door zijn notitieblok en steekt van wal.

'In mijn verhaal van afgelopen zaterdag heb ik geschreven dat er al enige tijd geruchten de ronde doen dat de bouw van het stadion wordt aangewend om geld wit te wassen. Dat kan op verschillende manieren. Het ligt niet voor de hand dat het stadion meteen wordt doorverkocht, al is dat in de snelle wereld van de stenenmaffia altijd een optie. De tweede mogelijkheid is gerommel met kantoren en skyboxen. Daar kunnen ze heel wat abc'tjes mee uitvoeren, waarmee alle betrokkenen in korte tijd goud geld kunnen verdienen.'

Hij zwijgt even. 'Nu is dit nog louter speculatief, maar ik sluit niet uit dat het Haak om iets heel anders gaat. Als hij eigenaar van de club wordt, kan hij zich ook bemoeien met de transfers. Van een collega van de sportredactie hoor ik verhalen over malafide spelersmakelaars uit onder meer Bulgarije en Bosnië. Onlangs heeft de voorzitter van de voetballersvakbond nog alarm geslagen in NRC Handelsblad. Wacht, ik pak dat stuk er even bij. Hier. Een interview met Danny Hesp onder de kop: "Veel spelersmakelaars doen hun werk niet goed". Die Hesp maakt zich grote zorgen over de opmars van malafide zaakwaarnemers. Hij verzuimt alleen namen en rugnummers te noemen, en de journalist van de kwaliteitskrant vraagt er helaas niet op door.'

'Bosnië!' onderbreekt Van Dam zijn relaas. 'Ligt daar de sleutel voor deze zaak? Is Bennie het slachtoffer van een paar hardhandige Oostblokkers? Maar wat heeft dat dan met FC Zwolle te maken? En vooral: wat is de link met Haak?'

Hidde legt het uit. 'Door met jonge, door hen aangebrachte spelers te schuiven, verdienen die makelaars miljoenen. Voor Haak is dat een verdomd interessante markt. Die Bosniërs zijn actief door heel Europa en kunnen elkaar mooi de bal toespelen. Elke transfer betekent grof geld.'

'Oké. Maar wat heeft dat met Frank te maken?'

'Wie weet hebben Haak en hij wel ruzie gekregen over de verdeling van de buit. Weet ik veel. Ik kan me ook voorstellen dat het om Bennie gaat. Misschien was het de bedoeling eens een stevig gesprek met Bennie te voeren en is dat uit de hand gelopen. Voetbal is oorlog, zei Rinus Michels toch? Nou, hij kon het weten. Hoe vaak wordt er niet iemand onder de grond geschoffeld? Alleen het strijdtoneel heeft zich verplaatst. Naar de bestuurskamers en de skyboxen.'

Als een terreinknecht die de lijnen voor de aanstaande wedstrijd kalkt, schetst Hidde de contouren van zijn verhaal. 'Rond al die clubs in het betaald voetbal is het werkelijk een komen en gaan van obscure figuren. Bij Volendam had je vroeger Jan Guyt als voorzitter. Die man maakte zich zo verdienstelijk als belastingadviseur van maffiabaas Klaas Bruinsma dat hij later in een wetenschappelijk rapport opdook als drs. Zacharias Trapaars.'

Van Dam moet even lachen.

Hidde blijft serieus. 'Ander voorbeeld: John van Dijk. Suiker-oom van svv. De georganiseerde misdaad in Rotterdam en om-streken gebruikte het bedrijfsrestaurant op de derde verdieping van zijn Mercedesgarage als vergaderlocatie. En wat te denken van drugsbaron Frank van Geel. Die was twee weken voor zijn li-quidatie in 2000 eigenaar geworden van het jeugdinternaat van psv in Geldrop. Een drugsbaron die zaken doet met een profes-sionele voetbalvereniging. Vat je 'm?'

'Ik vat 'm. We hebben het er nog weleens over. Ik zie je verhaal met belangstelling tegemoet, Hidde, en als ze je weg gaan bezui-nigen, moet je maar eens aan de recherche denken.'

Hidde moet lachen en hangt op.

Van Dam staart uit het raam. Wist Bennie te veel? Zou hij Haak op een of andere manier gechanteerd hebben om een kunstpro-ject te financieren? Of om zelf een of ander duur kunstvoorwerp op de kop te kunnen tikken, of weet ik veel wat? Is zijn verdwij-ning misschien een een-tweetje van Wellink en Haak? Wil Wel-link nu ook van Haak af?!

# 38

Het afgesproken bezoekje aan Joop, met Yvonne en Max, voelt voor Hidde een beetje onwerkelijk. Alsof hij voor het eerst bij zijn schoonvader op bezoek gaat. Hij moet zichzelf echt even tot de orde roepen om niet door te draven. Toen hij Yvonne belde om voor te stellen nog eens met Joop te gaan praten nu die in een nieuwe omgeving verkeerde, en er misschien wel – wist hij veel – herinneringen werden losgewoeld die nieuw licht konden werpen op de verdwijning van Bennie, reageerde Yvonne met enige aarzeling. Bleek dat ze nog niet eens bij hem op bezoek was geweest! Hidde bood nog aan om alleen te gaan, maar dat vond Yvonne kennelijk ook weer te ver gaan. Uiteindelijk spraken ze af elkaar voor de ingang van het verpleeghuis te treffen.

Op zijn eigen fiets rijdt Hidde naar de Meent. Er zit een nieuwe voorband om. Hij is er nog niet uit of hij de kosten zal declareren. Hij wil het er eigenlijk liever met niemand over hebben, niet over die lullige fietsband en niet over dat telefoontje met Frank – zeker niet zolang hij nog geen flauw idee heeft waar zijn contact met Yvonne op uit zal draaien. Hij hoopt dat Joop misschien iets te zeggen zal hebben waar ze mee verder kunnen, of tenminste waar de politie mee verder kan. Anders geven ze het nog op. De zaak begint er toch al vrij hopeloos uit te zien.

Inwendig vloekend rijdt hij het terrein van het verpleeghuis op. De enorme magnolia waarvan de knoppen aan het openbarsten zijn ontgaat hem, hij klaart pas op als hij Yvonne en Max op een bankje bij de ingang ziet zitten. Is dat Joop die naast hen zit? Nee, dat is iemand anders. Ook oud, ook een mannetje, maar geen Joop.

Hij zet zijn fiets op slot en loopt op hen toe.

'Hoi,' roept hij. 'Ha, Max,' voegt hij eraan toe, en hij geeft Max een aai over zijn bol.

'We gaan naar opa,' laat Max weten.

'Ja, zeker,' zegt Hidde. Hij lacht naar Yvonne.

Yvonne staat op. Ze kijken elkaar aan. Moet hij haar nou kussen?

'Zullen we maar meteen naar binnen gaan?' zegt Yvonne.

Niet dus. 'Ja, goed.'

Max geeft Yvonne een hand en pakt ook zijn hand, en zo lopen ze met zijn drieën naar binnen. Als Yvonne hem nog eens aankijkt, over Max heen, knipoogt hij naar haar. Ze glimlacht terug.

In de hal blijven ze staan. 'Tja,' zegt Yvonne. 'Als ik nou wist waar hij zat...'

Hidde en Max kijken allebei naar Yvonne.

'Ik weet niet eens op welke afdeling hij zit.'

'Dan vragen we dat toch even?' zegt Hidde, met een knikje naar de balie.

Even later lopen ze de afdeling op. Ook daar staan ze weer om zich heen te kijken zonder te weten waar ze heen moeten. Ze lopen een eindje een gang in, passeren een vrouw die op een bankje zit maar die niet open lijkt te staan voor enige vorm van communicatie, en komen dan bij een soort huiskamer, waar in fauteuils en op banken van verschillende herkomst – er zijn er geen twee die bij elkaar lijken te horen – een keur aan oude mannen en vrouwen zit. Ze zien meteen dat Joop er niet bij is. In een aangrenzend keukentje is een verzorgster in de weer.

'Hallo,' roept Yvonne.

'Ja?' zegt de vrouw. 'Zoeken jullie iemand?'

'Ja. Meneer Van der Kolk. Hij zit hier sinds afgelopen maandag.'

'O, ja,' zegt de zuster. 'Meneer Van der Kolk. Die is geloof ik aan de wandel.'

Ze worden naar een binnentuin gestuurd, waar een kippenhok staat dat zijn belangstelling schijnt te hebben gewekt. Maar ook daar is hij niet.

Het is duidelijk dat het geen zin heeft andere patiënten te vragen waar hij uithangt. De enige man die ze in de binnentuin aantreffen, is een boom van een kerel die aanvankelijk niks zegt, maar op een gegeven moment een merkwaardig geschreeuw laat horen dat Max de stuipen op het lijf jaagt. Hij klampt zich aan Yvonne vast.

Hidde moet zich inhouden om niet te zeggen: 'Hij doet niks, hoor.' Ze doen alsof het geluid dat de man voortbrengt volstrekt normaal is en gaan weer naar binnen. Bij een zusterpost informeren ze nog een keer, maar de vrouw die daar zit verwijst hen weer naar de huiskamer waar ze net ook al geweest zijn. 'En anders loopt hij ergens rond,' voegt ze eraan toe.

'O. Maar waar kan hij dan rondlopen?' vraagt Yvonne.

'In principe overal. Dit is geen gesloten afdeling. Hij kan ook in de hal zitten.'

Ze lopen terug naar de hal, constateren dat Joop ook niet in de hal zit, en gaan dan weer terug naar de afdeling. Hidde bedenkt dat hij al lang stennis zou hebben gemaakt, of die zusters in elk geval meer achter de broek zou hebben gezeten, maar misschien houdt Yvonne zich wel in omdat Max erbij is.

Ze lopen weer terug naar de afdeling, werpen een blik in de huiskamer, lopen een rondje door de gangen en laten zich de slaapkamer van Joop wijzen. Daar staan twee bedden. Boven een van de bedden hangt een foto van Bennie met Yvonne en Max.

'Kijk!' roept Max. 'Dat ben ik!'

'Inderdaad,' zegt Yvonne. 'Hier slaapt opa. Kom, we gaan nog even kijken waar hij nu is. Hij kan hier lekker wandelen, dat is wel fijn.'

Heel fijn, denkt Hidde. Het is hem niet ontgaan dat in die huiskamer ook een man met een soort veiligheidsgordel aan zijn stoel vastzat. Zou dat een iets te enthousiaste wandelaar zijn geweest?

Ze lopen nog maar eens naar de binnentuin. 'Nog een keer bij de kippetjes kijken,' zegt Yvonne tegen Max.

Zodra de binnentuin in beeld is ziet Hidde hem staan. Hij staat inderdaad bij het kippenhok. 'Ja, hoor,' zegt Hidde. 'Daar zul je hem hebben.'

Ze lopen naar buiten en Max rent voor hen uit. 'Opa!'

Opa reageert niet. Hij staat tegen de kippen te oreren. Max rent naar hem toe en slaat zijn armen om zijn benen. Als Hidde en Yvonne bij hem aankomen, staat Joop te huilen. Hij aait Max voortdurend over zijn hoofd. 'Ik ben zo blij dat je er bent,' zegt hij. 'Ik zocht je al.'

Yvonne loopt op hem af. 'Dag Joop,' zegt ze. Ze zoent hem op een wang. 'Hoe is het?'

'Waar waren jullie? Ik zocht jullie al.'

'Ja, hè? Wij jou ook. Maar nou hebben we elkaar gevonden. Kijk, Hidde is er ook. Je weet wel, van het *Zwolsch Dagblad*. Volgens mij heeft Hidde jou nog wel eens geïnterviewd, weet je nog?'

'Ja,' beaamt Hidde, en hij steekt zijn hand uit. Joop pakt hem beet. 'Dag, Joop.'

'Ja, dag Joop.' Joop lacht.

'Dag Joop,' roept Max. 'Dag Jopa.'

'Dag Jopa,' zegt Joop, en hij lacht weer. Of huilt hij nou? Hidde weet het niet.

'Zullen we daar even gaan zitten?' zegt Yvonne, en ze wijst naar een bankje en een paar stoelen. 'Lekker uit de wind en in de zon?'

'Ja. Dat is goed,' zegt Joop, en hij schuifelt al die kant op.

'Dan gaan we even wat drinken,' zegt Yvonne. 'Ik geloof dat ik iemand met koffie en limonade heb gezien.'

Joop blijft weer staan. 'Ja, maar ik heb geen geld,' zegt hij, een beetje hulpeloos.

'Dat hoeft ook niet,' zegt Yvonne, en ze geeft hem een arm. 'Jij krijgt dat hier allemaal, Joop. Daar heb je al voor betaald.'

'O ja?'

'Ja.'

'Zal ik dan even wat gaan halen?' zegt Hidde als Joop en Yvonne op het bankje gaan zitten. 'Wat wil jij?' vraagt hij aan Yvonne.

'Doe mij maar koffie, en jij, Joop?'

'Ja.'

'Wat wil jij drinken?'

'Drinken, drinken, drinken, totteme zinken, zinken, zinken, zinken, zinken, zinken, zinken...' Hij lacht weer en knipoogt naar Max.

'Wil je ook koffie?'

'Ja, koffie. En neem er zelf ook eentje.' Joop lijkt in opperbeste stemming, maar als Hidde even later met een dienblad met drie kopjes koffie en een beker limonade terugkomt zit hij weer te huilen.

'Ik zocht jullie al,' hoort hij hem weer zeggen. 'We moeten naar huis.'

Max heeft zijn limonade al op voor Hidde de koffie heeft uitgedeeld. 'Mag ik nog even bij de kippen kijken?' vraagt hij.

'Ja, hoor,' zegt Yvonne. 'Maar wel in de buurt blijven, hè?'

'Ja!' roept Max, en hij holt naar de kippenren verderop.

Yvonne knipoogt naar Hidde. 'Eerst een lekker kopje koffie,' zegt ze dan nadrukkelijk tegen Joop. 'Wat zitten we hier gezellig, hè?'

'Ja, dat is waar,' zegt Joop. Het klinkt aandoenlijk, net een dapper jongetje dat zijn tranen bedwingt.

Hidde heeft in zijn leven heel wat interviews afgenomen, onder andere inderdaad met Joop, al was dat, voor zover hij zich herinnert, wel een tamelijk onbenullig interviewtje geweest, ter gelegenheid van zijn vijfenzeventigste verjaardag of zoiets, maar hoe hij dit vraaggesprek moet aanvangen? Hij kijkt een beetje hulpeloos naar Yvonne. Die knikt, kijkt even naar Max, die bij de kippen staat, buiten gehoorsafstand, en richt zich opnieuw tot Joop.

'Zeg, Joop. Weet jij waar Bennie is?'

'Bennie,' zegt Joop, alsof hij de hele tijd niet op zijn naam kon komen.

'Ja. Weet jij waar hij is? Wij zoeken hem.'

'Bennie komt me straks halen,' zegt Joop.

Is dat nou een wezenloze blik of niet, vraagt Hidde zich af. Hoofdschuddend kijkt hij naar Yvonne.

'Die laatste avond, in zijn atelier,' zegt Hidde machteloos.

'Wat ga je d'r aan doen?' zegt Joop.

'Waaraan?' vraagt Hidde.

Joop zegt niks.

'Joop,' probeert Yvonne nog eens. 'Weet jij nog wanneer je Bennie voor het laatst hebt gezien?'

Dan begint Joop weer te huilen. 'Bennie moet me komen halen. Willen jullie dat tegen hem zeggen?'

Yvonne kijkt hem even aan. 'Ja, hoor, Joop,' zegt ze dan. 'We zullen het tegen hem zeggen.'

'Bennie weet het wel,' zegt Joop.

Hidde schudt nogmaals zijn hoofd.

Opeens hoort hij weer die woordloze schreeuw. Hij kijkt om. De grote man die ze net ook al waren tegengekomen schuifelt door de gang, voor de openstaande deuren langs. Het lijkt of hij ergens heen moet, maar dat zal wel gezichtsbedrog zijn.

Zo snel als hij kan komt Max weer aanrennen. 'Daar is die man weer,' zegt hij tegen Yvonne, half bij haar op schoot kruipend.

'Ja, maar hij doet niks, hoor.'

'Die man wil vechten,' zegt Joop.

'Welnee,' zegt Yvonne half tegen Joop en half tegen Max.

# 39

Van Dam zit op een dood spoor. Althans zo voelt het. Zijn blik glijdt over de verzameling houten wapenschildjes aan de muur tegenover zijn bureau. Gewilde trofeeën voor iedere politiechef van statuur. Net als clubvaantjes of shirtjes voor voetballers. Als er een collega uit een ver land op bezoek komt, is het uitwisselen van wapenschilden vaste prik.

En als hij voor elke opgeloste moordzaak een beker had gekregen, zou zijn prijzenkast vol staan. Vrijwel alle moordzaken die hij gedraaid heeft, zijn opgelost. De politie schermt qua moorden met een oplossingspercentage van rond de tachtig, maar bij Van Dam zit het eerder boven de negentig. Maar je bent zo goed als je laatste zaak, en die dreigt ondanks alle aanwijzingen finaal in het honderd te lopen.

Die laatste tip over Frank Wellink leek op het eerste gezicht interessant, maar Van Dam wil voorkomen dat het onderzoek alle kanten uitwaaiert. Als je voortdurend allerlei zijweggetjes inslaat, kom je nooit op de plaats van bestemming. Het gaat om de verdwijning van en de mogelijke moord op een lokaal bekende kunstenaar. Niets meer en niets minder. Waar is Bennie van der Kolk en wat is er gebeurd?

Het is pertinent niet zijn bedoeling alle coffeeshops in Zwolle door te lichten en daarbij en passant het gedoogbeleid van de overheid te toetsen. Bovendien, 'de' onderwereld is een ruim begrip.

En daarbij, wat moet hij nou met dat verhaal van Hidde over gerommel rond het nieuwe stadion? Vastgoedfraude, foute advocaten, afgegleden fiscalisten: Hidde kan nog zo'n mooie analyse geven over 'misdaad in krijtstreep', maar dat is hier niet de hoofdzaak. Het gaat hier om het leven van Bennie van der Kolk, niet om vermeende witwaspraktijken door Wellink of Haak. Die zouden best onderwerp van een apart onderzoek kunnen zijn, maar dat is een heel andere zaak.

Aan de andere kant: beide heren zijn verdacht. Als de één de ander naar het leven staat, is dat veelzeggend.

Van Dam leest het proces-verbaal nog eens na. Woord voor woord. Waarom noemt die tipgever geen namen of zegt hij op zijn minst om welke coffeeshop het gaat? Hoeveel jongens hangen daar niet dagelijks rond!

Tegelijkertijd bedenkt hij dat je voor geweld eigenlijk andere types nodig hebt. In de eerste de beste volkskroeg is het makkelijker een paar opgespoten sportschooltypes voor een 'klusje' te rekruteren dan in een coffeeshop.

Als een blindschaker neemt Van Dam nog eens de laatste zetten door. Haak had laconiek gereageerd toen Eikenaar bij hem naar de tip informeerde. Het tapgesprek is meteen uitgewerkt. Van Dam leest het verslag nog eens door. Haak had de tip weggehoond.

'Is dat even schrikken! Komen die jongens hier langs of moet ik ergens komen opdraven?'

Eikenaar liet zich niet provoceren en had nog wat doorgevraagd, maar het lukte niet Haak uit de tent te lokken.

'Mijnheer Eikenaar, hoe moet ik dat allemaal weten! Zoek het even lekker zelf uit! Ik heb wel wat anders te doen en u ook, mag ik hopen.'

'Hoe bedoelt u?'

'Nou, ik neem aan dat de verdwijning van Bennie van der Kolk, bijvoorbeeld, voor de politie wel wat belangrijker is dan zo'n vaag telefoontje van een of andere vogelverschrikker.'

'Tenzij die zaken met elkaar te maken hebben.'

'Let op uw woorden, mijnheer de inspecteur. U wilt toch niet suggereren dat ik ook maar iets met die verdwijning te maken zou hebben?'

'Dat hoort u mij niet zeggen. Maar in de krant werden wel uw beider namen genoemd. Frank is een oude vriend en zelfs de huisbaas van Bennie, en u bent op de avond van zijn verdwijning nog bij hem geweest.'

Na die woorden was Haak ontploft. 'Wat er na mijn bezoek is gebeurd, is niet mijn zaak! En al helemaal niet mijn probleem!! Zoek het maar uit.'

Eén ding is zeker, denkt Van Dam: Haak is niet bang. Neemt hij de dreiging niet serieus? Of staat hij zijn mannetje wel als er plotseling een paar van die sportschooltypes voor zijn neus staan? Het zal voor hem in elk geval geen probleem zijn om een legertje potige Bosniërs als bodyguards in te huren. Maar een paar van die spierbundels in zijn directe omgeving zouden snel genoeg opvallen, en daar lijkt op dit moment nog geen sprake van te zijn.

Natuurlijk, je moet zo'n tip serieus nemen, maar zonder aanvullende informatie is het zoeken naar een speld in een hooiberg.

Buiten de ochtendbriefing heeft Van Dam elke dag wel een paar keer telefonisch contact met Pietersen. Hij belt haar nog maar eens.

Pietersen deelt zijn nuchtere analyse. De anonieme tip over Frank is in haar ogen niet ernstig genoeg om de procureur-generaal in te schakelen. Ze zijn het eens over de vervolgstappen. Afwachten wat er over de tap komt. De eerste tijd zullen ze de coffeeshops gericht laten meenemen in de surveillance. De informanten zullen nog eens worden uitgehoord. En ze spreken af dat Van Dam zelf met Wellink belt.

Dat moet dan maar, al voelt Van Dam aan zijn water dat Wellink niks zal zeggen.

Frank neemt verrassend snel op en lijkt even te schrikken als hij hoort dat het Van Dam is. Hij herstelt zich echter snel en luistert zwijgend als Van Dam hem op de hoogte stelt van de tip. Jammer dat ze niet beiden voor de webcam zitten. Eén beeld zegt soms meer dan duizend woorden.

'Wat moet ik hier nou weer mee!' zegt Wellink als Van Dam

is uitgepraat. 'Als het nodig is kan ik zelf ook wel een stevig gesprek met Haak voeren. Dat heb ik laatst in De Refter ook gedaan. Heeft die gek misschien zelf met die tip gebeld?'

# 40

Hidde is er nog steeds niet uit. Moet de zaak van Bennie nou op de moordlijst of niet?

Eens in de zoveel tijd werkt Hidde nauwgezet zijn overzicht van alle gevallen van moord en doodslag bij. Over de meeste zaken heeft hij voldoende informatie: ANP-berichten, krantenartikelen en de bevestiging van politie en justitie. Maar wat moet hij met Bennie? De kans dat de politie hem nog levend en wel terugvindt, slinkt met de dag. Voor de zekerheid heeft Hidde de gegevens tussen haakjes in zijn bestand ingevoerd, voorzien van vette vraagtekens. Alsof hij deze zaak ooit over het hoofd zou zien!

```
(Zwolle, 29 maart 2008 ????????
De Zwolse kunstenaar Bennie van der Kolk (55)
is verdwenen. Hij is zondagavond aan het
werk in zijn atelier op het Palet maar komt
die avond niet thuis. Hij heeft met niemand
contact opgenomen, zijn mobieltje is op zijn
atelier blijven liggen. Een paar dagen later
vindt de politie bloed op zijn palet. Het
blijkt bloed van Van der Kolk te zijn. Een
getuige heeft hem die nacht mogelijk nog
horen schreeuwen bij het nieuwe stadion,
maar elk verder spoor ontbreekt.)
```

Keer op keer leest Hidde de summiere informatie door. Zeker, dit zijn droge feiten, maar helaas zegt dat nog niks. De vraag is: is Bennie nog in leven? Gelukkig hoeft hij nog niet definitief te beslissen of het om moord gaat. De vorige moordlijst heeft nog niet eens zo lang geleden in de krant gestaan. Het waren op de kop af 161 dodelijke slachtoffers, een stijging ten opzichte van het jaar ervoor. Toen waren het er 147. De daling van de afgelopen jaren is gestopt, het aantal moorden groeit weer.

Zij het gelukkig niet overal, denkt Hidde meteen. In 2008 telde Zwolle maar één moord. In september van dat jaar werd de 56-jarige Marokkaan Mohammadi Seyah doodgestoken in zijn woning. Hij werd gevonden in de badkuip. Later werd in Londen zijn 60-jarige broer aangehouden. Die bekende weliswaar, maar beriep zich op noodweer.

Hidde kent de plaats delict maar al te goed: een klein woninkje bij hem in de buurt. Hij komt er bijna dagelijks langs. En wat hem nog nooit eerder was gebeurd, in die jaren dat hij zijn moordregister bijhoudt: hij kende het slachtoffer zelfs van gezicht. Ja, een enkele crimineel die was geliquideerd had hij ook wel gekend, maar een 'gewoon' iemand die opeens vermoord blijkt te zijn, dat is toch even wat anders. Hij had zelfs wel eens een praatje met het slachtoffer gemaakt, in de tijd dat hij de hond uitliet voor een buurman die last had van zijn 'rikketik'. Toen liep hij wel eens door het park met die hond. Seyah kwam ook veel in het park. Hij hing vaak bij de zwervers rond. Hij had zelf net zo'n verlopen kop als veel van die zwervers, maar achter die verlopen kop had Hidde altijd het kleine jochie in de man gezien. Een straatschoffie misschien, maar toch. Als die verzopen vent met dat jochie er-in, die Marokkaanse matroesjka, niet in het park rondhing, reed hij wel rond op zijn oude solex, met een paar enorme fietstassen achterop waar altijd een heleboel flesjes in mee rammelden. Had hij misschien op kruimelschaal in drugs gehandeld? Ach, weet jij veel, bedenkt Hidde. Het was vooral triest. Om zo aan je einde te komen. De zich opdringende gedachte dat ze misschien wel ruzie hadden gehad om het statiegeld van die flesjes, maakt het er niet feestelijker op.

Zijn gedachten dwalen weer af naar Bennie. Het gebrek aan enige harde wetenschap omtrent zijn lot houdt een heel reservoir aan soortgelijke triestigheid op afstand. Als een stuwdam.

En aan gene zijde van die stuwdam moet Yvonne haar leven maar zien te leiden alsof er niks aan de hand is. Hoe moet je treuren om iemand van wie je niet zeker weet of hij ooit terugkomt?

Ze waren door de hele zaak wel dichter tot elkaar gekomen, maar wat stelde dat eigenlijk voor? Yvonne wil toch in de eerste plaats graag dat Bennie terugkomt? Uiteraard wil ze dat, maar hoe zou ze dan tegenover hem, tegenover Hidde, komen te staan? Zou het dan alsnog niks, wéér niks, tussen hen worden?

Die Max is wel een heerlijk ventje. Als Joris nog geleefd had... Dat kleine handje in zijn hand. Hoe hij tegen hem aankroop toen hij hem voorlas. Dat koppie in dat FC Zwolle-kussen. En dat elke avond. Dat zou hij met Joris toch ook... Automatisch bant Hidde de gedachte aan Joris uit zijn hoofd.

Een beetje week staat hij even later bij de koffieautomaat.

'Ah, onze boekhouder des doods!' Godsamme, het lijkt wel of Dick zijn tenten bij de dorpspomp heeft opgeslagen. Is die man nooit aan het werk? 'Wat zijn de verwachtingen voor dit jaar? Jij hoeft in elk geval niet bang te zijn dat je op straat komt te staan, vriend. Mensen zullen altijd de behoefte houden om moorden te plegen.'

Tja. De financiële crisis slaat ook in de krantenwereld toe. De adverteerders haken af en het lezersbestand slinkt niet alleen door vergrijzing. Veel mensen vinden een abonnement op de krant domweg te duur of lezen hem met de buren. Hidde zit in de redactieraad en weet dat voor de directie maar één ding telt: winst! Minder advertenties betekent minder inkomsten, en daarom op termijn minder journalisten.

Terug achter zijn bureau slaat Hidde met de cursor de haken en vraagtekens weg. Bennie is vermoord. Waar zou hij anders moeten uithangen? Mocht hij opduiken, dan kan hij hem alsnog van de lijst afvoeren. Als hij dan nog leeft, tenminste.

Meestal is het voor Hidde meteen duidelijk of iemand op de lijst hoort. De dader wordt vaak ter plekke aangehouden. Naast het kersverse lijk. Een rokend pistool of bloederig mes in zijn handen. Maar ook als de dader de benen heeft genomen, weet Hidde doorgaans wel of er sprake is van moord. De verwondingen en de omstandigheden waaronder het lijk wordt gevonden, spreken vaak boekdelen. Daar hoef je geen Sherlock Holmes voor te zijn.

Soms twijfelt hij. Hidde herinnert zich de legendarische zaak die bekend is geworden als de Leidse balpenmoord. In 1991 vindt de 21-jarige student Jim T. in haar woning in Leiden het lijk van zijn 53-jarige moeder. Omdat haar gezwollen rechterooglid een wondje vertoont en er onder haar hoofd een bloedvlek op het vloerkleed zit, wil de schouwarts geen verklaring van natuurlijke dood afgeven. De volgende dag wordt bij sectie in Rijswijk een zwarte balpen in haar schedel aangetroffen. Een Bic-pen.

Vier jaar later wordt Jim aangehouden. Hij heeft tegen zijn therapeute gezegd dat hij zijn moeder met een kruisboog een pen door het oog heeft geschoten. Hij krijgt 12 jaar, maar vervolgens weet zijn superslimme vader – een hoogleraar theoretische natuurkunde – na proeven met een zelf geconstrueerde pop aannemelijk te maken dat zijn ex-vrouw gestruikeld is, en daarbij precies met haar oog op die pen is gevallen. Het Hof spreekt de jongen vrij. Juridisch gezien is het geen moord meer.

Toch heeft Hidde nog altijd twijfels. Hij heeft zich in de zaak verdiept en er een grondige reconstructie van geschreven. Boven op zijn boekenkast ligt nog een kruisboog van hetzelfde type als waarmee de moord zou zijn gepleegd. Daarmee heeft hij tientallen Bic-pennen afgeschoten op kartonnen verhuisdozen, en zelfs op een varkenskop die hij in het abattoir had geregeld. Die kop was nog bevroren toen hij hem meekreeg. Hij had er nooit bij stilgestaan dat varkens zulke gigantische koppen hadden. En die haren, dat waren in bevroren toestand net naalden.

Een categorie die het hem ook flink lastig kan maken zijn de zogenaamde lijkvindingen. Op de gekste plekken worden lijken gevonden. In bos, duin en polder. Bij zijn ouders had vroeger een boekje in de kast gestaan, *Wat vinden wij in sloot en plas?* Maar daar hadden geen lijken in gestaan. En dan had je nog de schuurtjes en de leegstaande woningen. Soms vonden ze zelfs een lijk onder het beton. Ga dan maar eens reconstrueren.

En dan heb je nog de restcategorie: de verdwenen lijken. De mensen die van de aardbodem verdwenen zijn. Of lijken te zijn.

De categorie-Bennie dus. Soms worden ze na jaren alsnog gevonden. Zoals bijvoorbeeld de hoogblonde Angelique van Osch. Die verdween eind 2000 na een ruzie met haar ex-echtgenoot Paul. In zijn busje werden bloedspatten van Angelique gevonden en vlak voor zijn geplande vlucht naar Thailand werd hij met zwart geverfd haar in een hotel op Schiphol aangehouden met meer dan een ton aan contanten op zak.

Angelique was weliswaar spoorloos, maar Paul werd toch tot 12 jaar veroordeeld wegens doodslag. Bijna zes jaar na haar verdwijning kreeg hij blijkbaar berouw. Op zijn aanwijzingen werd het lijk van Angelique opgegraven in het Amsterdamse Bos. Vermoedelijk had de man echter allesbehalve een nobel motief om alsnog uit de school te klappen, en hoopte hij gewoon door zijn 'bekentenis' na tweederde van zijn straftijd voor voorwaardelijke vrijlating in aanmerking te komen.

Zou Bennie ooit nog gevonden worden? Hidde durft er zijn hand niet voor in het vuur te steken. Waar is Bennie gebleven?! Wie weten er meer van?! Zijn het keiharde en gewetenloze criminelen, of is het weer eens zo'n zaakje dat onbedoeld uit de hand is gelopen?

Aangenomen dat Bennie om het leven is gebracht en niet ergens in een warm land zit ondergedoken, moet hij haast wel ergens begraven liggen. Anders zou hij allang gevonden zijn. Nederland kent geen ondoordringbaar oerwoud, en ook geen compleet uitgestorven gebieden.

De maffia in New York gebruikt een verlaten niemandsland in New Jersey als illegaal kerkhof. Onder de snelwegen in Zuid-Italië bevindt zich naar verluidt een waar knekelhuis. En al jaren doet het hardnekkige gerucht de ronde dat in de fundamenten van de Rembrandttoren, bij het hoofdstedelijke Amstelstation, de lijken liggen van twee Marokkaanse criminelen.

Zou Bennie ook een betonnen graf hebben gekregen? Hij zal toch niet onvindbaar voor de eeuwigheid onder dat rottige stadion liggen?

# 41

Het zaaltje op de eerste verdieping van het hoofdbureau zit bomvol. Eikenaar, Lateur en Brugmans, Mulder en Van der Meer, alle andere koppels: vrij of niet, alle leden van het Rembrandt-team zijn uitdrukkelijk verzocht deze ochtend aanwezig te zijn op de briefing. Verder zijn alle persvoorlichters van het korps er, plus de persvoorlichter en de persofficier van het Openbaar Ministerie. De sfeer is opgewonden. Net als twee maanden geleden bij de start van het onderzoek.

Zo'n klemmend verzoek van de leiding om op te komen draven kan twee dingen betekenen. De zaak is opgelost en het team kan worden ontbonden. Of het onderzoek zit muurvast en het team wordt 'afgebouwd'. In het tweede geval lopen een paar rechercheurs nog wat losse eindjes na en beoordelen de waarde van eventueel nog binnenkomende tips.

Zolang het onderzoek niet definitief is afgesloten, onderhouden de familierechercheurs de contacten met de nabestaanden of in het geval van Bennie van der Kolk de 'achterblijvers': Yvonne, Max en Joop.

Wat ook de uitkomst van het onderzoek is, voor de meeste teamleden zit het werk erop. Straks kunnen ze weer overgaan tot de orde van de dag. Maar het is een verschil van dag en nacht of de zaak is opgelost of niet. Het verschil tussen een feeststemming en een grafstemming.

Als een spraakmakende zaak is opgelost, verschijnen er binnen de kortste keren trailers van de omroepen voor de deur met straalverbinding om de afsluitende persconferentie te verslaan. Verslaggevers uit alle windrichtingen komen als vliegen op de stroop af en proberen zo snel mogelijk en liefst als eerste hun verhaal rond te krijgen. Wie is de dader en wat is er precies gebeurd? Het slachtoffer komt nu even op de tweede plaats, al wil natuurlijk iedereen weten of Bennie van der Kolk is teruggevonden. En vooral hoe: dood of levend?

Achter de schermen is het feest bij een opgeloste zaak dan al begonnen. De leden van het team krijgen van hun bazen alle lof toegezwaaid en soms is er zelfs champagne.

Commissaris Henk van Dam heeft al heel wat van die feestjes meegemaakt. Het mooist vindt hij altijd de groepsfoto na afloop. Alsof ze wereldkampioen zijn geworden in de voetballerij.

Het wachten is alleen nog op Karin Pietersen. Die heeft net gebeld dat ze de hoofdofficier inmiddels heeft ingelicht en in aantocht is.

Van Dam kijkt voor zich uit. Plotseling schiet hem weer het beeld van de Nachtwacht te binnen. Ook een groepsportret. Bennie zou er zijn hand niet voor omdraaien om in een hedendaagse variant het hele team Zwolse speurders te vereeuwigen op een levensgroot doek. Met Karin en hijzelf op de plaats van Frans Banning Cocq en Willem van Ruytenburgh. Typisch Van der Kolk.

Maar bij het ontbinden van een team als een zaak niet is opgelost, hoort geen groepsportret. En al helemaal geen feestje. Dan is de sfeer terneergeslagen. De leden van het team worden bedankt voor hun inzet en gaan als geslagen honden uiteen. Missie mislukt.

Iedereen valt stil als Karin Pietersen het zaaltje binnensnelt. Het getik van haar naaldhakken klinkt als een mitrailleursalvo. Zich bewust van haar uitstraling neemt ze plaats naast Van Dam en knikt de aanwezigen minzaam toe.

'Welkom, dames en heren'. Commissaris Van Dam neemt het woord en richt zijn laserstralen op de teamleden. 'Welkom op deze voorlopig laatste briefing. Ik zal jullie de stand van zaken uit de doeken doen. Na afloop is er tijd voor vragen. Nog even voor alle duidelijkheid: wie zonder mijn toestemming met de pers praat, kent de sancties.'

De teamleden schuiven onrustig op hun stoelen heen en weer. Dat belooft weinig goeds. Zou het lijk van Bennie gevonden zijn?

Typisch Van Dam om de spanning er nog even in te houden. Hij is niet iemand om met de deur in huis te vallen.

Hoewel Van Dam alle details van de zaak uit zijn hoofd kent, heeft hij de hoofdpunten op papier gezet. Eén voor één loopt hij ze na.

'Ons onderzoek begon zoals jullie allemaal weten met bloed op het palet. Het bloed van Bennie van der Kolk. Vanaf het moment van die toch wel enigszins lugubere vondst hebben we met zijn allen keihard gewerkt om de zaak tot een goed einde te brengen. Nog één keer wil ik met jullie alle aanwijzingen doorlopen om te voorkomen dat we iets over het hoofd zien.'

Aanwijzingen zijn er volop, begint Van Dam zijn analyse. De donkere B M W met vermoedelijk Duits kenteken die de bewuste avond iets te hard bij het Palet wegreed. Joop van der Kolk opgesloten in zijn atelier. Een donkere wagen – mogelijk dezelfde als die van het Palet – in het nachtelijk duister bij het stadion van F C Zwolle. Geschreeuw van mannen. Camerabeelden van een Duitse B M W op de snelweg die later in Duitsland uitgebrand is teruggevonden.

Van Dam werkt zijn lijstje nauwgezet af. De spanning is voelbaar. Wanneer volgt de ontknoping? 'Na de verdwijning van Van der Kolk zijn er geen geldtransacties met zijn pinpasje verricht. Hij heeft geen contact opgenomen met zijn vrouw of met wie dan ook. Niemand heeft hem meer gezien. Taal noch teken.'

Hij zwijgt even en vervolgt met donkere stem: 'Kort en bondig: geen lijk, en de enige mogelijke getuige weet niets meer. Dat schiet dus niet op, maar het meest waarschijnlijke scenario laat zich raden. Van der Kolk is in zijn atelier overvallen en onder dwang meegenomen door mannen in een Duitse B M W. Mogelijk voor een ontmoeting bij het nieuwe stadion, maar dat weten we niet zeker, en waar hij daarna is gebleven weten we al helemaal niet. Laat staan dat we zouden weten wie hem meenam, waarom en in wiens opdracht.'

De onrust in de zaal groeit. Het is lastig al die tijd geconcentreerd te blijven. Eikenaar heeft een binnenpretje. Niet voor het eerst schiet hem de titel te binnen van een boek dat hij ter ere van zijn aantreden bij de politie cadeau kreeg van zijn trotse schoonvader: *De commissaris vertelt*. Het was het eerste deel van een in de jaren vijftig en zestig van de vorige eeuw uiterst populaire serie door de Amsterdamse commissaris H. Voordewind. Later had Eikenaar bij een tweedehands boekenzaak in Deventer de twee andere delen gekocht: *De commissaris vertelt verder* en *De commissaris vertelt door*. Mooie verhalen uit de praktijk. Ooit had iemand nog een gefingeerd vierde deel geschreven: *De commissaris kan me nog meer vertellen*, maar de naam van die grapjas wil hem niet te binnen schieten.

Intussen vertelt de commissaris inderdaad verder. Onverstoorbaar. 'Na het nodige onderzoek bleven er uiteindelijk drie verdachten over die iets met de verdwijning te maken zouden kunnen hebben: de oom van Bennie, Hannes Haak en Frank Wellink. De eerste, oom Ben van der Kolk geheten, is zeker geen prettig heerschap. Hij beduvelt oude vrouwtjes bij het leven en is een geslepen kunstvervalser: de ideale verdachte, zou je denken. En dan ook nog familie – over "bloed op het Palet" gesproken.'

Van Dam zwaait met een exemplaar van het *Zwolsch Dagblad*. 'Ik weet niet of jullie dat stuk vanmorgen hebben gelezen over de zoveelste ruzie tussen Rooie en Witte Rinus, maar ruzie tussen familieleden komt dus in alle milieus voor. En Ben en Bennie van der Kolk konden elkaars bloed wel drinken. Nou is zijn oom Ben als gezegd in mijn ogen een rommelaar van het zuiverste water, maar hij is geen moordenaar. Bovendien, en dat is natuurlijk het grootste probleem, hij lijkt een sluitend alibi te hebben voor de avond waarop Bennie verdween – al zou dat alibi ons op zich weer op een ander spoor kunnen zetten, maar daar gaat het hier niet om. Dit gaat niet om gerommel met het geld van oude vrouwtjes, dit gaat om een vermissing.'

En in die zaak blijven Haak en Wellink over, stelt Van Dam vast. 'We weten dat beide heren die nacht in elk geval telefonisch contact hebben gehad. Een week later hebben ze ruzie zitten maken in De Refter. En we kregen de tip dat Wellink jongens zocht om een stevig gesprek te voeren met Haak. Tot uw dienst: allemaal inderdaad heel verdacht, maar waar is het rokende pistool?'

De laserstralen moeten zo langzamerhand in de wijde omtrek te zien zijn.

'Dat beide heren bulken van het zwarte geld is ook weer alle reden voor een apart strafrechtelijk financieel onderzoek, maar nogmaals, we hebben het hier over de verdwijning van Bennie van der Kolk. Niet over witwassen.'

De taps op Haak en Wellink hebben tot op heden niets opgeleverd, vervolgt Van Dam. 'En die op oom Ben trouwens al helemaal niet. De rechter-commissaris verbiedt diens telefoon nog langer af te luisteren en twijfelde gistermiddag over een verlenging van zijn toestemming voor de taps op Haak en Wellink. Hoe vervelend ook, dat is de feitelijke situatie. Geen lijk, geen zaak.'

Er ontstaat geroezemoes. Het kwartje begint te vallen: dag Rembrandt-team! Zoals zo vaak in dit soort onderzoeken zijn er volop aanwijzingen, maar is er geen bewijs. Dat Frank en Haak op een of andere manier met de verdwijning te maken hebben, ligt voor de hand, maar wat is er precies gebeurd? Waar kunnen ze die kerels op pakken?

'We kunnen speculeren tot we een ons wegen. Welk belang zou Haak hebben bij de verdwijning van Bennie? Had hij van meet af aan al andere bedoelingen met dat atelierbezoek die zondagavond, of is de zaak domweg uit de hand gelopen? We weten het niet. En net als Haak heeft ook Wellink iets te verbergen. Tijdens één van de verhoren liet hij zich nota bene ontvallen dat hij in de nacht van de verdwijning mogelijk een bezoekje aan het stadion heeft gebracht. Ik citeer uit het proces-verbaal: 'Misschien ben ik daar die bewuste nacht wel even met zakenrelaties geweest die ik probeerde te interesseren voor een vipbox.' Een regelrechte provocatie, maar op aanvullende vragen zwijgt de man als het graf. Zat hij in die Duitse BMW of kende hij althans de inzittenden? Heeft hij bij het stadion Bennie nog gesproken of gezien? Helaas heeft niemand Wellink daar gezien, en zonder ooggetuigen is het domweg einde oefening.'

Van Dam werkt naar de anticlimax toe. 'We hebben gedaan wat we konden. Alle sporen zijn nagetrokken. Kosten noch moeite zijn gespaard om deze zaak op te lossen. Iedere politieman wil in het geval van een verdwijning de achterblijvers uitsluitsel geven of hun geliefde nog leeft of niet. Maar soms moet je erkennen dat de zaak op een dood spoor zit.'

Het lijkt wel alsof Van Dam geëmotioneerd raakt. Hij neemt een slok water en kijkt het zaaltje rond. 'Met pijn in het hart moet ik jullie meedelen dat we in overleg met het Openbaar Ministerie vanmorgen vroeg het besluit hebben moeten nemen dit TGO te ontbinden. Lateur en Brugmans blijven beschikbaar om tips na te trekken. Mulder en Van der Meer houden contact met de weduwe.'

Van Dam wil zijn papieren al pakken, hoort wat stemmen en schrikt dan van zijn eigen verspreking. 'Zijn vrouw, bedoel ik.' Maar iedereen begrijpt wat hij bedoelt.

# 42

'Yvonne Tromp.'

'Ja, met Jos Vreeken. Van het Palet. Zeg, ik heb een beetje een raar verhaal.'

Yvonne schrikt en denkt onwillekeurig aan Bennie. 'O?'

'Ik eh...' vervolgt de stem. 'Ik werd gebeld door die Haak, die vastgoedman, over een portret dat Bennie van hem aan het maken was.'

Vreeken is een collega voor wie Bennie altijd wel enige bewondering had. Hij is eigenlijk een ouderwetse fijnschilder, die op zijn doeken tal van potjes en pannetjes vereeuwigt. Hij heeft niet alleen het vak in de vingers, hij heeft ook een onmiskenbaar eigen stijl ontwikkeld. Een eigen handschrift, zoals Bennie dat noemt.

'Ja?' vraagt Yvonne afwachtend.

'Je weet wel, voor de eregalerij van FC Zwolle.'

'Ja, ik weet het. Wat was daarmee?'

'Nou eh... hij vroeg of ik dat misschien af wilde maken.'

'Af wilde maken?'

'Ja, het was nog niet af, zei hij, en hij leek er nogal haast mee te hebben. Hij begon meteen met flinke bedragen te schermen.'

'O? Wat heb je gezegd?'

'Nou, het leek mij dat dat niet zomaar kon. Een beetje besmet werk, als ik het zo mag zeggen. Maar die Haak dacht daar heel anders over. Die zei dat die portretten sowieso van hem waren, dat hij al voor die hele serie betaald had.'

'Nou, dat weet ik niet. Dat zou ik moeten nakijken.'

'Ik weet het ook niet. Maar om kort te gaan: ik zei dat hij niet bij mij moest wezen,' verklaarde de stem nu met enige opluchting.

'O, nou, daar ben ik in elk geval blij om.'

'Ja. Hij wilde alleen nog weten of ik misschien iemand anders wist.'

'O?'

'Ja,' zegt de stem nu weer wat ongemakkelijk. 'En het was misschien niet zo handig van me...'

'Wat?'

'Nou ja, ik zei: de enige die ik daartoe in staat acht, is Ben van der Kolk.'

'Wat?'

'Ik bedoelde dus: de enige die ik in staat achtte zoiets laakbaars te doen, vanwege zijn vete met Bennie, dat bedoelde ik, maar hij leek het heel anders op te vatten. Hij bedankte me en hing op.'

'O,' zegt Yvonne. 'Nou, dat is wel fraai.'

'Ja. Het spijt me.'

'Ja, mij ook,' zegt Yvonne, iets bitser dan ze eigenlijk bedoelt.

'Als ik iets voor je kan doen.'

'Nee, laat maar. Je hebt me in elk geval gewaarschuwd. Ik zal het in de gaten houden, maar ik zou eigenlijk niet eens zo gauw weten wat ik eraan doen moest.'

'Misschien kun je de huismeester bellen, of die het schilderij in veiligheid wil brengen.'

'Ja, dat is een idee. Maar zou ik dan niet eerst de politie moeten bellen?'

'Ja, daar zeg je wat. In het belang van het onderzoek, bedoel je. Dat weet ik eigenlijk niet.'

Als Yvonne heeft neergelegd, besluit ze in een opwelling Hidde te bellen. Die weet misschien wat ze nu het beste kan doen.

De telefoon gaat een paar keer over. Ze wil net ophangen als hij opneemt.

'Hidde.'

'Ja, met mij.' Ze kan niet nalaten om het zo te zeggen: als kind moest ze er vreselijk om lachen, van die mensen die de telefoon opnamen en dan 'met mij' zeiden in plaats van hun naam te noemen, maar tegenover Hidde voelt het op de een of andere manier prettig. Vertrouwd.

'Ah, Yvonne. Hoi. Hoe is het?'

'Mwah. Kon beter. Ik wil je iets vragen.'

'Zeg het maar.'

'Wat denk jij, dat schilderij van Haak, waar Bennie mee bezig was, dat is niet af, en nou hoor ik dat Haak iemand van het Palet heeft gebeld met de vraag of die het misschien af zou willen maken.'

'O?'

'Ja. En diegene wou het niet, maar hij heeft wel de naam van oom Ben doorgegeven. Die zou wél in staat zijn om het af te maken, zoals hij het formuleerde.'

'Hm. Tja. Zo blijft het wel in de familie natuurlijk.'

'Ja, gezellig,' zegt Yvonne. 'Terwijl het eigenlijk een vergissing was, althans dat beweerde diegene, hij bedoelde eigenlijk dat oom Ben zo'n klootzak was dat die dat desgevraagd nog wel doen zou ook, maar Haak denkt waarschijnlijk dat hij bedoelde dat oom Ben dat heel goed zou kunnen. Dus nou is mijn vraag: van wie is dat schilderij nou eigenlijk? Ik geloof dat het wel de bedoeling was dat Haak de hele serie zou aankopen, om hem dan in bruikleen aan het stadion te geven, in eeuwige bruikleen zelfs, maar of dat al gebeurd is, ik bedoel of er überhaupt ooit voor betaald is, daar heb ik geen idee van.'

'Hm. Je stelt interessante vragen.'

'Ja, hè? Maar het punt is: als het een beetje kan, zou ik toch wel willen voorkomen dat oom Ben aan dat schilderij van Bennie gaat zitten knoeien. Ik denk dat Bennie het dan nog liever aan stukken zou snijden...'

'Dat denk ik ook, ja,' beaamt Hidde. 'Waar is dat schilderij?'

'Dat staat nog op zijn atelier, denk ik. Op de ezel.'

'Aha.'

'Ik vroeg me eigenlijk vooral af of ik het daar zou kunnen laten weghalen, of dat van de politie zou mogen, bedoel ik, qua onderzoek.'

'Hm, ja, weer een heel goeie vraag waar ik niet zo een-twee-drie een antwoord op heb.'

'Wat denk je?'

'Nou ja, ik kan me in elk geval voorstellen dat ze liever niet hebben dat ermee gezeuld wordt, maar ja, het Rembrandt-team is natuurlijk wel ontbonden, hè?'

'Hm. Ik moet misschien toch de politie zelf maar even bellen, begrijp ik.'

'Dat lijkt me beter, ja. Je kunt ze altijd vragen om het in elk geval ook zo tegen Haak te zeggen. Ik denk niet dat de recherche het een goed idee zou vinden als Haak er met dat schilderij vandoor ging.'

'Goed, nou, dan ga ik maar even bellen. Bedankt, hè, Hidde?'

'Graag gedaan.'

Als Yvonne andermaal heeft neergelegd, wordt haar blik getrokken door iets in de lucht. Ze kijkt naar buiten. Ze ziet niet eens meteen wat nou haar aandacht trok, maar dan gaat er een belletje rinkelen. 'Lieve lijn,' schiet het door haar heen. Vasalis. Die wolk. Aan alle kanten de bekende rafelrand, als bij een dot watten die met driftige bewegingen uit elkaar is getrokken – behalve linksboven. Daar, strak als een potloodlijn, loopt dezelfde lijn als van zijn schouder naar zijn hoofd. Exact, exact, exáct dezelfde lijn! Ze kijkt en kijkt, maar er staat een straffe wind, de lijn wordt uitgerekt, de bocht, hoe was het ook alweer, 'de stille bocht' wordt vlakker, en de lieve lijn is weg. Ze kijkt de wolk na. Zo snel als de lijn was verdwenen, zo snel drijft de wolk verder, over de Grote Kerk naar het oosten. Vasalis. Was het niet iets met vrede vinden in die lijn?

'Zie je wel?' hoort ze in haar hoofd de stem van Bennie. 'In de natuur bestaan geen lijnen. Vlakken die aan elkaar grenzen misschien, maar geen lijnen.' Ze had geknikt toen hij dat zei, maar nu weet ze wel beter. En die vrede, dat klopt ook niet. Voor haar niet. Aan de hemel is elk spoor van Bennie uitgewist.

# 43

Hidde zit op de redactie, maar kan niet aan het werk komen. Hij heeft nog eens het stukje gelezen dat hij destijds over die performance van Bennie bij het nieuwe stadion heeft geschreven. Onder de kop: 'Nieuw stadion krijgt zegen van boven'. Nu dwalen zijn gedachten steeds weer af naar Yvonne. Door de verdwijning van Bennie hebben ze een tijd lang intensief contact gehad, al is dat de laatste weken weer wat minder. Maar ja, wat wil je. Yvonne zit nog steeds op Bennie te wachten. Zo gaat dat bij vermissingen.

Hoe zit dat ook alweer, juridisch? Kun je iemand na een jaar dood laten verklaren, of pas na vijf jaar? Wat maakt het eigenlijk uit?

Shit, ik moet aan het werk, denkt hij opeens. Hij wil net een nieuw bestand openen als zijn telefoon gaat.

'Hidde Dantuma.'

'Spreek ik met meneer Dantuma?' vraagt een hoge vrouwenstem enigszins overbodig. Zo te horen een dame op leeftijd.

Hidde beaamt het.

'U spreekt met mevrouw Roberts. Ik stoor toch niet?' informeert ze bezorgd.

'Nee, hoor,' zegt hij zo monter mogelijk. 'Zegt u het maar.' Hij kijkt naar de tijd. Hij wil zo naar de rechtbank, voor een zaak tegen een pedo, al is het slechts een pro forma zitting.

'Ik bel in verband met dat stukje van u, tenminste ik neem aan dat het van u was, over Bennie van der Kolk, die nog steeds niet gevonden is. Omdat u daar eerder ook al over schreef. Ik las dat de politie met het onderzoek is gestopt. Ik eh...'

'Ja? Zegt u het maar,' zegt Hidde nog eens. Mevrouw Roberts?

De naam komt hem opeens bekend voor.

'Ik weet niet of het van belang is wat ik te melden heb, maar de politie heeft mij een tijd geleden ook iets gevraagd, en toen heb ik iets verteld wat niet helemaal klopte.'

'O?'

'Het gaat over dat verhaal van de oom van de vermiste.'

Oom Ben! Hidde pakt zijn notitieblok en begint de rest van het gesprek in steekwoorden vast te leggen.

'Wat was daar dan mee?'

'Nou ja, dat klopte niet helemaal.'

'En wat klopte er dan niet?'

'Nou, ik bedoel over die zondagavond. Ik moest iets van hem zeggen wat niet helemaal klopte.'

Hidde voelt opeens de adrenaline door zijn lijf pompen. 'Wat moest u dan van hem zeggen?'

'Hij is anders heel goed voor me, hoor,' voerde mevrouw Roberts bijna bestraffend aan. 'Hij doet door de week vaak boodschappen met me, en op zondagavond komt hij ook vaak langs, en dan gaan we geregeld een eindje rijden, net als mijn man en ik vroeger vaak deden. In het nette, hoor. Ben is getrouwd, maar ik bedoel, hij doet het toch maar.'

'Ja?' zegt Hidde. Dat zal best, denkt hij erbij.

'Alleen die ene zondagavond is hij niet bij me geweest.'

'O nee?'

'Nee. En toen hebben we dus ook niet getoerd.'

'O? Wat hebben jullie dan wél gedaan?'

'Alleen Ben vroeg wél of ik dat tegen de politie wilde zeggen, omdat we dat anders immers ook altijd deden.'

'O ja? Had hij daar een speciale reden voor?'

'Ja, hij zei dat het beter was, omdat de politie bij hem geweest was, en dat hij op een of andere manier het idee had dat ze hem erop aankeken, op die vermissing, bedoel ik, terwijl hij er helemaal niks mee te maken had! Hij deed er luchtig over, maar het zit me toch niet helemaal lekker, zeker niet nou ze die man nog steeds niet gevonden hebben. Laatst vroeg ik hem er een keer naar, en toen werd hij nota bene boos. Hij zei dat ik gewoon mijn gouden kiezen op elkaar moest houden. Dat was nogal smake-loos, vond ik. Dat ben ik niet van hem gewend.'

Gouden kiezen op mekaar, denkt Hidde. Zou dit de gouden tip zijn? Hij moet moeite doen gewoon te blijven praten.

'Hij heeft me met geen vinger aangeraakt, hoor,' voegt mevrouw Roberts er nog eens vergoelijkend aan toe. 'Maar toch. Vervelend was het wel.'

'Ik begrijp het. Mevrouw Roberts was uw naam toch? Dit zou best eens belangrijke informatie kunnen zijn, mevrouw Roberts. Oom Ben heeft op zijn zachtst gezegd iets uit te leggen, begrijp ik.'

'Ja, maar u zet het toch niet meteen in de krant? Ben hoeft niet te weten dat dit bij mij vandaan komt. Dat zou ik naar vinden.'

'Ik snap het, ik snap het. We hebben hier alleen wel met een vermissing te maken. Laat ik het zo zeggen, mevrouw Roberts: ik beloof u dat ik hier zorgvuldig mee omga, maar het lijkt mij wel raadzaam dat ik de politie informeer. Dit is echt heel belangrijke informatie, of in elk geval: dat kán het zijn.'

'Ik vind het wel vervelend dat het uitgerekend bij mij vandaan moet komen. Anders had ik zelf de politie ook wel kunnen bellen.'

'Ik begrijp het, mevrouw Roberts, maar maakt u zich alstublieft geen zorgen. De politie gaat hier altijd zeer zorgvuldig mee om. Zij zullen er echt wel voor zorgen dat u nergens bang voor hoeft te zijn.'

'Nou, dat hoop ik maar. Ik heb wel tegen ze gelogen!'

'Daar had u een goede reden voor. Dat zullen ze heus wel begrijpen.'

'Ben deed echt een beetje raar, hoor. Anders dan anders.'

'Ja. Dat is niet prettig,' zegt Hidde.

'Als u mijn naam maar niet in de krant zet.'

'Nee, hoor, dat was ik niet van plan.'

'O. Gelukkig maar. Ik weet niet eens wat ik moet hopen. Of u er iets mee kunt of juist niet. Ik bedoel, ik zou het wel heel naar vinden als bleek dat Ben er op een of andere manier, nou ja, toch iets mee te maken had. Dat zal toch haast niet?'

'Nee,' zegt Hidde laf. 'Maar ik denk dat de politie dat heus wel goed zal uitzoeken.'

'Ik vind het heel erg dat die man verdwenen is.'

'Ja, dat is het ook. Maar nogmaals, maakt u zich geen zorgen. Bij de politie is uw informatie in veilige handen, oké?' Hidde kan opeens bijna niet meer wachten om Van Dam te bellen. 'U hoort er nog van, oké? Vriendelijk dank, hoor. En geen zorgen, hè?'

'Nee, ik...'

'Dag, mevrouw Roberts!' Hidde hangt op en draait meteen het nummer van Van Dam. Even schiet het door hem heen dat hij eigenlijk Yvonne zou moeten bellen, maar dit gaat voor. Helaas krijgt hij Van Dam niet meteen aan de lijn. Of hij over vijf minuten kan terugbellen. 'Is goed.'

Op de automatische piloot loopt hij naar de coffeecorner. Hij is blij dat Dick in elk geval op reportage is. Die zou nu dwars door hem heen kijken en hem meteen aan een kruisverhoor onderwerpen. '*Any news*, jongen? Je ziet eruit alsof je net een goudklompje hebt gedolven. Hoeveel karaats? Laat me raden.'

Weer terug achter zijn bureau bekijkt Hidde zijn aantekeningen: woorden en zinnetjes, met aan alle kanten sterretjes en uitroeptekens. Het doet aan vuurwerk denken. Hij kan zich het vuurwerk woord voor woord herinneren.

Een paar minuten later probeert hij het nog eens en krijgt hij Van Dam aan de lijn. Hidde doet kort verslag van het gesprekje met mevrouw Roberts.

'Jezus,' zegt Van Dam. Het klinkt alsof hij naar adem moet happen. 'Die vuile oplichter! Dank Hidde, zodra we meer weten krijg jij de primeur.'

Als Hidde weer heeft opgehangen, zoekt hij op de computer het adres van mevrouw Roberts op. Ah. Koestraat. Zo'n soort adres had hij al verwacht. Daar valt natuurlijk het nodige te halen voor die vuile oplichter. Hij kan zich er nog net van weerhouden Yvonne te bellen. Maar dat moet hij helaas ook aan de politie overlaten. Kom op, jongens. Laat me raden! Een tip van vierentwintig-karaats goud, alsjeblieft!

# 44

Andrea zit op de fiets ergens aan de singel als haar mobieltje gaat. Ze stapt af en hoort Van Dam aan, het toestel strak tegen haar ene oor gedrukt en een hand op het andere. Er rijden nogal wat auto's langs.

'Oké,' zegt ze als Van Dam zijn verhaal heeft gedaan, 'ik ga d'r meteen naartoe.'

'Goed. Ik hoor straks van je.'

Vijf minuten later staat Andrea voor een van de monumentale panden aan de Koestraat. W.F. Roberts, staat er in sierlijke witte letters op de deur. De bel ernaast is een ouderwetse trekbel, het geklingel wordt meteen gevolgd door een gekef dat naar alle kanten door de ongetwijfeld marmeren gang stuitert. Andrea hoort een stem, het gekef neemt af en even later gaat in de deur een luikje open.

'Wie is daar?'

Andrea laat haar identiteitskaart zien. 'Andrea Mulder, recherche. Bent u mevrouw Roberts?'

'Ja. Wacht. Ik zal even opendoen.' Het luikje gaat eerst dicht en dan trekt een oude dame de deur open. Het dunne haar in een knotje, bril met halvemaantjes, jurk zonder zichtbaar model. 'Komt u binnen.'

'Dank u.' Andrea veegt netjes haar voeten en geeft de vrouw een hand. Ergens achter in het huis hoort ze het hondje nog een paar keer blaffen, maar dan valt het stil.

'Dat is ook snel,' zegt mevrouw Roberts. 'Ik heb net die jongeman van de krant gebeld.'

'Hidde Dantuma.'

'Ja. Hij zei al dat hij het met de politie zou moeten opnemen, maar dat het zo snel zou gaan... Loopt u even mee?'

Iets verder in de gang doet ze een deur open en gaat ze Andrea voor een enorme woonkamer in waar de tijd jaren lijkt te hebben stilgestaan. Voor de ramen naar de Koestraat hangen vitrages, maar helemaal achterin, ziet Andrea, is meer openheid. Daar, boven in de hoge ramen, verheffen zich de bomen op de Suikerberg.

'Gaat u zitten.'

Zelfs de geur is een oude geur. De zitting van de bank waar Andrea op is gaan zitten is van versleten fluweel. Mevrouw Roberts gaat tegenover haar in een bijpassende fauteuil met leeuwenpootjes zitten.

'De commissaris belde me net,' begint Andrea, in de wetenschap dat het noemen van de commissaris bij zo'n oud dametje wellicht opwinding, maar allicht ook enige geruststelling teweeg zal brengen, 'en ik heb van hem zo ongeveer gehoord wat u aan Hidde Dantuma van het *Zwolsch Dagblad* verteld hebt. Het gaat ons er nu alleen om het nog eens met u na te lopen om te zien of we het allemaal correct hebben, en of we niks over het hoofd hebben gezien.'

Andrea gaat de relevante feiten nog eens bij langs, maar het lijkt er niet op of ze nog belangwekkende nieuwe zaken aan de weet komt. Na enige tijd klapt ze haar opschrijfboekje dicht en zegt ze: 'Geweldig bedankt. Het is helemaal duidelijk. Maakt u zich verder geen zorgen, het komt allemaal goed.'

Andrea staat op en dan valt haar oog op een fraai ingelijste tekening boven de bank waar ze op heeft gezeten. 'Hé, die ken ik,' zegt ze. '*De verloren zoon* van Rembrandt.'

'Ja, dat hebt u goed gezien.'

Andrea blijft er even naar staan kijken. 'Mijn ouders hebben zo'n Rembrandtbijbel. Daar heb ik als kind veel in gebladerd. Ik was helemaal weg van die illustraties.' En ik heb die tekening eerder gezien ook, denkt ze. Verderop aan de Grote Markt. Was getekend: Bennie van der Kolk.

'Ja. Dit is een echte kopie uit de zeventiende eeuw.'

'Zo. Mooi, hoor.'

'Die heb ik ook van Ben van der Kolk,' voegt mevrouw Roberts eraan toe.

'O ja? Dat is toch aardig van hem.'

'Ja. Het was eigenlijk meer een onderpand. Voor een lening.'

'Een lening? Hij hoeft bij u toch geen geld te lenen?'

'Nee, eigenlijk niet, zou je zeggen. Maar ik kan het wel missen, hoor. En hij zat even in een penibele situatie.'

'O. Nou.' Zal ik het vragen, denkt Andrea. 'Vindt u het erg als ik naar het bedrag informeer? Het kan van belang zijn voor het onderzoek,' zegt ze er snel bij.

'Ja, nou, wat zal ik zeggen? Het was een flink bedrag, maar ja, dit is ook een zeventiende-eeuwse tekening, hoor, waarschijnlijk door een leerling van Rembrandt gemaakt. In zijn atelier.'

'Maar hoeveel was het dan?'

'Nou, iets van twintigduizend, geloof ik.'

'Twintigduizend euro?'

'Ja. Of dertig? Ik heb het wel ergens opgeschreven.'

'Ik geloof het wel, hoor.' Ze kijkt nog eens naar de tekening. 'Zo mooi, hè?' Dan draait ze zich om naar mevrouw Roberts, geeft haar een hand en loopt naar de deur. 'Maar reuze bedankt, in elk geval, mevrouw Roberts. U hoort nog van ons. Tot zover bedankt.'

Na nog wat beleefdheden over en weer laat mevrouw Roberts haar uit en even later loopt Andrea met de fiets aan de hand en haar mobieltje aan het oor door de Koestraat.

'Van Dam.'

'Ja, Andrea. Ik kom net bij mevrouw Roberts vandaan. Het verhaal van Dantuma lijkt aardig te kloppen en daar heb ik verder weinig nieuws bij vernomen. Maar er viel mij wel iets anders op. Ze had een zogenaamd zeventiende-eeuwse kopie van de tekening van de verloren zoon van Rembrandt aan de muur hangen. En nu komt het: die had ze van oom Ben, zogenaamd als onderpand voor een lening van twintig- of dertigduizend euro.'

'Zo!'

'Ja. En laat ik nou bij Yvonne van der Kolk aan de Grote Markt dezelfde tekening hebben zien hangen, gemaakt door Bennie van der Kolk, weliswaar op zeventiende-eeuws papier, maar wel mooi in de eenentwintigste eeuw.'

'Ah!'

'En dan is twintig- of dertigduizend euro een hoop geld.'

'Ik zal het aan Brugmans en Lateur meegeven.'

'Ik weet niet of die wel met zoveel geld vertrouwd zijn.'

'Je informatie, bedoel ik. Dank je, Andrea.'

Graag gedaan, denkt Andrea. U vraagt, wij draaien.

# 45

'Ga zitten,' zegt Van Dam zodra Eikenaar met een nieuwsgierige uitdrukking op zijn gezicht binnenkomt.

'Een interessante tip in de zaak Van der Kolk, zei je.'

'Precies. Je zult wel denken, ze zoeken hun momenten wel weer uit, maar ik denk dat het in dit geval niet geheel en al losstaat van het ontbinden van ons team. Dat wíl nog wel eens zo hier en daar iemand wakker schudden. Zoals in dit geval ene mevrouw Roberts.' Hij vertelt Eikenaar in het kort wat hij van Dantuma gehoord heeft en wat Andrea verder nog te melden had.

Eikenaar fluit tussen zijn tanden. 'Aha, aha,' zegt hij.

'De vraag is nu natuurlijk in de eerste plaats: waar wás oom Ben op de bewuste zondagavond?' zegt Van Dam op grimmige toon. 'Daar moeten we achter zien te komen. Wat heeft die man te verbergen?'

'En hoe kwam hij dan aan die tekening, die misschien wel helemaal niet uit de zeventiende eeuw is, maar uit de eeuw van neef Bennie van der Kolk?'

'Precies,' zegt Van Dam. Hij pakt er het deeldossier 'Oom Ben' bij.

Opeens komt alles in een ander daglicht te staan. Zoals dit: die zondagavond laat is er met een onbekend mobieltje naar het huis van oom Ben gebeld. Het was een kort gesprek, nog geen minuut. Het mobieltje, een prepaidtoestel, straalde een mast aan bij het stadion. Maar ja, wat zei dat? En oom Ben wist van niks: die was toen onderweg van mevrouw Roberts naar huis, luidde destijds zijn verklaring. Ze moesten het maar aan zijn vrouw vragen. Misschien had die wel een minnaar.

'De brutale aap,' zegt Van Dam.

Hoe dat ook zij, de rechercheurs hadden het er verder bij gelaten. Een alibi is een alibi.

'Zou dat Bennie van der Kolk geweest kunnen zijn?'

'Dat weet ik niet,' zegt Eikenaar. 'Hij had zijn mobieltje toch op zijn atelier laten liggen?'

'Ja, maar wie zegt dat hij maar één mobieltje had? Weet je nog die Rus die we hier laatst hadden? Die had een heel koffertje vol.'

'Tja,' zegt Eikenaar.

'Zijn Brugmans en Lateur in de buurt?' vraagt Van Dam.

'Ik kan ze laten optrommelen.'

'Doe dat.'

Even later zitten ze met z'n vieren het verhoor van oom Ben voor te bereiden. 'Stom dat we daar toen verder geen onderzoek naar hebben gedaan,' zegt Brugmans, 'maar ja, achteraf kun je allemaal de lotto winnen.'

Van Dam kijkt hem aan. 'Dé lotto bestaat niet. Je krijgt elke week een nieuwe kans. En deze kans moeten we met beide handen aangrijpen. Jullie bellen meteen Ben van der Kolk en zeggen dat je nog iets met hem te bespreken hebt. Laat hem maar eens uitleggen waarom hij die mevrouw Roberts voor zijn karretje heeft gespannen en wat hij die zondagavond dan wél heeft uitgespookt.'

# 46

Brugmans en Lateur bellen Van der Kolk vanuit de auto. Hij is thuis en neemt zelf op. Als ze vijf minuten later de uiterwaarden bij Hattem inrijden, ziet Lateur al van ver dat het bordje met 'Te koop' er niet meer staat.

'Dat kan twee dingen betekenen,' zegt Brugmans. 'Of hij heeft het huis verkocht, of hij hóéft zijn huis niet meer te verkopen.'

'Je bedoelt dat hij toch weer een melkkoetje heeft?'

'Een melkkoetje in de Koestraat.'

Als ze eenmaal zitten, is de toon meteen gezet.

'Mijnheer Van der Kolk, zoals u weet hebben wij u bij ons onderzoek naar de verdwijning van uw neef Bennie van der Kolk al vrij snel met rust gelaten. U had een alibi en dan kun je hoog springen en laag springen, maar dan wordt de bewijslast erg lastig.'

'Dat lijkt mij ook,' beaamde Van der Kolk.

'Daar zijn we het dus over eens. Maar nu heeft zich een nieuwe ontwikkeling voorgedaan. Wij zijn erachter gekomen dat uw alibi voor de betreffende zondagavond niet klopt. En nou zou het mooi zijn als u zelf vertelde wat u die zondagavond dan wél hebt gedaan.'

'Dat heb ik u al verteld, en daar was geen woord van gelogen.'

Brugmans zucht en kijkt even naar Lateur. 'Luister,' zegt hij. 'U mag kiezen. Of u gaat nu mee naar het hoofdbureau, of u vertelt uw verhaal, en dan kijken we daarna verder. Misschien is er wel niks aan de hand. Als u ons nou bijvoorbeeld eerst eens vertelt, wat dat voor telefoontje was, die nacht. U bent gebeld met een mobieltje, dat overigens niet is achterhaald, maar misschien weet u nog wie dat was?'

Van der Kolk zwijgt. Alsof hij zijn kansen berekent. Dan barst hij los. 'En of ik dat nog weet. Zoals ik al zei: ik ben die avond niet weggeweest. We lagen zelfs al in bed, maar toen ging de telefoon. Dat was Bennie. Nogal paniekerig. En nauwelijks te verstaan. Of ik hem bij het stadion kon komen ophalen. Er was iets gebeurd, maar hij wilde niet zeggen wat. En hij deed nogal moeilijk, zoals wel vaker. Maar goed, ik ben toch meteen in de auto gesprongen.'

'Wat opmerkelijk dat Bennie naar u belde. Ik dacht dat u en uw neef al enige tijd geen woord meer met elkaar wisselden.'

'Toch wel. Onze moraalridder Bennie van der Kolk veroordeelde mij, maar toen hij financiële problemen had kwam hij zelf bij me of we niet samen iets konden doen waar we allebei beter van werden.'

Brugmans en Lateur hoorden hem aan. Het was duidelijk dat de man langzaam op dreef begon te raken. 'Oké,' zegt Brugmans. 'Over uw hernieuwde contact later meer, maar eerst: Bennie belde u op, hij stond bij het stadion en wilde door u worden opgehaald.'

'Precies. Ik kom bij het stadion aan, op die grote vlakte aan de Boerendanserdijk, en toen kwam hij aanlopen, of althans: strompelen.'

'Ja? Ga door.'

'Zo te zien had hij zijn enkel verstuikt of zoiets, maar dat was niet het enige. Zijn mond zat onder het bloed, zijn ogen waren helemaal opgezwollen en hij leek te vergaan van de pijn. Hij was kennelijk behoorlijk toegetakeld. En praten ging erg moeilijk.'

'O?'

'Maar hij wilde in elk geval naar het ziekenhuis, dat was me wel duidelijk. Of ik hem wilde brengen.'

'Nou, dat wilde u wel, natuurlijk.'

Van der Kolk kijkt Brugmans even aan, maar ziet geen ironie in zijn blik. 'Dat wilde ik wel, ja. Ik hielp hem met veel pijn en moeite met instappen en reed meteen weg, naar het Sofia. Bennie zei geen woord meer. Ik reed met hem over de Ceintuurbaan en zag wel dat hij zijn ogen dicht had, maar ik liet hem verder met rust. Bij het ziekenhuis wilde ik hem weer helpen met uitstappen, maar er was geen beweging meer in te krijgen. Ik had de gordel losgemaakt, ik trok aan zijn arm, ik gaf hem wat klapjes in zijn gezicht, niets.' Van der Kolk slaakt een zucht. 'Hij leek wel dood.'

Brugmans en Lateur kijken elkaar aan.

'En toen?' zegt Brugmans. 'Hij leek wel dood, zegt u, maar volgens onze informatie is hij in diezelfde nacht verdwenen, en tot op heden is hij nog niet gevonden.'

Van der Kolk kijkt beide heren een voor een aan. 'Hij wás dood. Maar ik neem aan dat u begrijpt dat ik onschuldig ben.'

'Als u ons eerst eens vertelt wáár u precies onschuldig aan bent, zullen wij wel kijken of we het op dat punt met u eens kunnen zijn.'

Net als Van der Kolk verder wil praten, gaat de telefoon. Hij kijkt vragend naar Brugmans.

'Neemt u gerust op.'

Van der Kolk staat op en loopt naar de telefoon. 'Van der Kolk.' Hij luistert even. 'Ja, dat portret van u?'

Brugmans en Lateur spitsen hun oren.

'Nee, meneer Haak. Ik heb er geen behoefte aan om dat portret af te maken.' Hij luistert nog even. 'Belt u maar iemand anders,' zegt hij dan kortaf. 'Goedemorgen.' Hij legt de telefoon neer.

'Meneer Haak?' zegt Brugmans. 'Dat ging toch niet toevallig over dat portret waar Bennie die laatste avond aan gewerkt heeft?'

'Daar ging het toevallig wel over. Of ik dat voor hem af wilde maken. Geld was geen probleem.'

'Nee, voor meneer Haak niet, nee. Maar voor u kennelijk ook niet, want u wimpelt het wel erg makkelijk af.'

'Daar heb ik zo mijn redenen voor.'

'Uw huis staat ook niet meer te koop, of hebt u het al verkocht?'

'Nee. Het is niet meer te koop.'

'En daar hebt u ook zo uw redenen voor?'

'Uiteraard.'

'Goed. Die horen we dan nog wel. Maar misschien moeten we

eerst nog even terug naar die avond, of die nacht. Dat was me ook een lastig parket voor u, of niet? Daar zit je dan, met je neef met wie je op voet van oorlog staat, althans voor het oog van de buitenwereld – toegetakeld en nota bene dood in je auto.'

'Ja.'

'Maar goed dat u zelf geen bloed aan uw handen had, anders stond u er helemaal gekleurd op.'

'Inderdaad. Zo dacht ik er ook over, maar hoe moest ik weten of jullie dat ook zo zouden zien?'

'Tja. Dat is altijd afwachten, hè?'

'En daar had ik dus helemaal geen zin in. Ik werd ontzettend boos en ik raakte denk ik ook een beetje in paniek. Ik dacht: dit laat ik me niet gebeuren. Weg met die klootzak.'

'Mijnheer Van der Kolk, het lijkt mij toch beter als we dit gesprek op het bureau voortzetten. U bent aangehouden als verdachte in de zaak Bennie van der Kolk.'

Van der Kolk schudt zijn hoofd. 'Ik zeg u toch? Ik heb het niet gedaan.'

'Vertelt u dat maar aan de commissaris.'

# 47

Als bij Hidde op de redactie de telefoon overgaat, weet hij niet hoe snel hij moet opnemen. Het is Van Dam.

'Hidde, heb je pen en papier bij de hand?'

'Wat denk je?' Hidde zit al in de aanslag.

'Je beloofde primeur.'

'Hebben jullie hem gevonden?'

'In de uiterwaarden van de IJssel. Achter het huis van zijn oom. Met wie hij misschien wel helemaal niet zo gebrouilleerd was als zowel oom als neef tegenover de buitenwereld meende te moeten voorwenden.'

'Dus toch?'

'Ja. Dus toch. En hij heeft bekend ook. Althans ten dele.'

'Oké, vertel.'

# 48

Hidde voelt zijn darmen samenknijpen als hij Van Dam neerlegt. Het is niet alleen een dijk van een primeur, realiseert hij zich meteen. Hij denkt ook aan Yvonne. Het liefst zou hij haar nu alles vertellen, en haar dan in zijn armen nemen en troosten. En Max over zijn bol aaien.

Hij wrijft over zijn gezicht.

Dan vermant hij zich.

Bijna enthousiast belt hij even later de chef van dienst: 'Ik weet niet of jullie al wat gepland hebben, maar ik heb in elk geval een opening: Bennie van der Kolk is gevonden. Dood.'

Hidde weet dat Yvonne inmiddels wordt ingelicht door de familierechercheur. Vanavond is er nog tijd zat om het er eindeloos met haar over te hebben, voor ze de volgende morgen zijn bericht onder ogen zal krijgen. In trance tikt hij zijn schokkende verhaal voor de 'I':

EXCLUSIEF:

LIJK VAN DER KOLK
BIJ IJSSEL GEVONDEN

Vanmiddag heeft de politie in de
uiterwaarden van de IJssel bij Hattem het
stoffelijk overschot gevonden van de drie
maanden geleden spoorloos verdwenen Zwolse
kunstenaar Bennie van der Kolk. Hij lag
begraven in de tuin achter de villa van zijn
oom. Deze Ben van der K., die al enige tijd

met zijn neef gebrouilleerd was, is als verdachte aangehouden en heeft inmiddels een gedeeltelijke bekentenis afgelegd. De zaak kwam aan het rollen dankzij een tip aan het *Zwolsch Dagblad*.

De toedracht staat nog niet helemaal vast. Volgens een bron dicht bij het onderzoek zou de verdachte beweren niet verantwoordelijk te zijn voor de dood van zijn neef. Hij zou Bennie van der Kolk de zondagnacht van zijn verdwijning zwaargewond hebben opgepikt bij het stadion in aanbouw van FC Zwolle. Op weg naar het Sofiaziekenhuis overleed Van der Kolk in zijn auto aan zijn verwondingen, aldus de verklaring van de verdachte. Daarop was hij in paniek geraakt en had hij het lijk van zijn neef in zijn achtertuin begraven.

De politie had het team dat onderzoek deed naar de vermissing al ontbonden toen deze krant getipt werd dat het alibi van de oom niet klopte. Anders dan hij tegenover de recherche had verklaard, was hij de bewuste zondagavond niet bij een kennis op bezoek geweest en had hij ook niet met haar een autoritje in de omgeving gemaakt. Naar hij nu beweert, zou hij 's nachts thuis zijn gebeld door zijn zwaargewonde neef, met wie hij toch ook een iets betere relatie zou hebben dan ze tegenover de buitenwereld lieten voorkomen.

Nader onderzoek zal moeten uitwijzen of de verklaring van de verdachte juist is, zegt commissaris Henk van Dam. 'Hij heeft natuurlijk nogal wat uit te leggen. Zo willen we graag weten of Bennie van der Kolk inderdaad zwaar gewond was toen zijn oom hem bij het stadion oppikte. En in dat geval zijn

we er natuurlijk vooral benieuwd naar door
wie hij dan zo zwaar zou zijn toegetakeld, en
waarom - als het niet door zijn oom was.' De
relatie tussen oom en neef, en een eventuele
vervalsing die ze samen op hun geweten zouden
hebben, moet sowieso nader worden bekeken.
'En uiteraard zal ook worden onderzocht wat
de precieze doodsoorzaak is geweest.'

Tijdens het eerdere onderzoek naar de
vermissing van Bennie van der Kolk viel
de verdenking op de omstreden Zwolse
vastgoedhandelaar Hannes H. en de vermeende
drugshandelaar Frank W. uit Giethoorn.
Geen van beiden had een sluitend alibi voor
die zondagavond- en nacht. Er was echter
onvoldoende bewijs om hen aan te houden.

Een getuige heeft die zondagnacht
geschreeuw gehoord bij het stadion en een
donkerkleurige BMW zien wegrijden. Mogelijk
dezelfde auto was eerder die avond gezien
bij kunstenaarsvereniging Palet. Op de avond
van zijn verdwijning was Bennie van der Kolk
daar in zijn atelier aan het werk aan een
portret van Hannes H.

Bennie van der Kolk is 55 jaar geworden.
Hij laat een vrouw en zoontje achter.

Bij die laatste zin blijft Hidde even hangen, maar dan schudt hij
zichzelf wakker. Kom op, afmaken en verzenden.

# 49

'Straks krijgen we een dakfroens en dan wilden we nu eens met de hele keus 's middags praten van zes tot acht, en dat hebben we ook gedaan en die heeft het helemaal vitaal vuur, maar als er aan de streen ook mensen komen, dan weet ik het ook niet meer.'

Joop doet zijn armen over elkaar. Hij heeft gezegd.

Yvonne werpt een blik op Max, die met een hand voor zijn mond ingehouden naar haar lacht. Ze glimlacht naar hem en wendt zich dan tot Joop. 'Kijk eens, opa, Max is er ook.'

'O ja?' zegt Joop. Hij kijkt om zich heen, kijkt dan naar Max, en knipoogt naar hem alsof ze samen Yvonne voor het lapje houden. Yvonne ziet Max opnieuw ingehouden naar haar lachen.

Dan kijkt ze naar Hidde.

Alsof dit het afgesproken sein is, staat Hidde op en zegt: 'Zeg, Max, zullen wij nog even naar de kippen gaan kijken?'

'Ja, hoor,' zegt Max, alsof hij Hidde dat plezier wel wil doen. Hij schuift zijn stoel naar achteren.

'Jij weet waar het is, hè?' zegt Hidde weer.

'Ja, hoor.' Max staat nu ook op. 'Kom maar.'

Yvonne kijkt ze na. Hidde en Max. Max wilde per se dat Hidde meeging, ze moest hem er speciaal voor bellen. Hand in hand lopen ze de zaal uit. Eerst wil ze het aan Joop vertellen. Max komt straks. Het is allemaal nog zo onwerkelijk. Ze heeft Bennie nog niet eens gezien, en vraagt zich af of ze dat überhaupt wel wil. Al is het waarschijnlijk beter voor de rouwverwerking. Nu is het net of het toch nog niet afgelopen is.

Joop heeft het hoofd in de nek gelegd en zegt tegen het plafond, of misschien wel tegen een hogere instantie: 'Weet u wie u zoeken moet? Kennen we u?' Hij knipoogt naar Yvonne.

'Zeg, Joop.'

'Zeg dat wel, ja,' zegt Joop. Hij moet er zelf om lachen. 'Joop gaat op de loop.'

'Ja. En Bennie is weer gevonden,' zegt Yvonne. Recht voor z'n raap.

Ze zegt er maar niet bij waar hij gevonden is, en hoe. Joop was erg aan Ben gehecht. Of was het meer ontzag geweest? Maakt niet uit. Bennie is in elk geval gevonden. Er was geen twijfel mogelijk, ze hoefde hem gelukkig niet eens te identificeren.

Het is niet duidelijk of Joop haar gehoord heeft. 'Kijk,' zegt ze tegen hem. Ze heeft de tekening van de verloren zoon die ze van huis heeft meegenomen uit haar tas gepakt en het bruine pakpapier eraf gewikkeld. Het lijkt wel karton, zo dik. Ze houdt de tekening aan Joop voor.

'O, dat is mooi,' zegt Joop. Hij tuurt. 'Is dat Bennie?' vraagt hij, en hij wijst naar de zoon aan de voeten van de vader.

'Ja,' zegt Yvonne. 'Dat is Bennie. En dat ben jij.' Ze wijst naar de vader, die zijn hand op het hoofd van zijn zoon heeft gelegd. 'Zullen we deze boven je bed hangen?'

'Ja, hoor,' zegt Joop. 'Je doet maar. Ik heb 's nachts toch mijn ogen dicht.'

'Deugniet,' zegt Yvonne.

Joop is even stil, maar dan zegt hij met een snik in zijn stem: 'Ik ben zo blij dat Bennie weer terug is. Hij komt me straks halen.'

Yvonne kijkt naar hem. Zou hij weten wat hij daar zegt?

'Ik zocht hem al,' voegt hij eraan toe.

'Ja, hè?' zegt Yvonne. Ze staat op en legt een arm om zijn schouder. 'Wij ook. Nu weten we tenminste waar hij is.'

# Dankbetuiging

Dank aan Annette Lavrijsen, Hans Heesen,
Atty Mensinga en Edith Bosma.